DALLA MONTAGNA
IL TUONO

Seconda ristampa, novembre 2021

La poesia citata a pag. 5 è tratta da: Bruno Tognolini, *Rime di rabbia*,
Salani, Milano 2010.

© 2018 Edizioni EL
A Story By Book On a Tree Ltd
ISBN 978-88-6656-493-5

www.edizioniel.com

Fabbricato da Edizioni EL S.r.l., via J. Ressel 5,
34018 - San Dorligo della Valle (Trieste)
Prodotto in Italia

Tommaso Percivale

DALLA MONTAGNA IL TUONO

VAJONT SESSANTATRE

Einaudi Ragazzi

*Dedico questo libro a chi combatte ogni giorno
per rendere il mondo un posto migliore.*

Tu dici che la rabbia che ha ragione
È rabbia giusta e si chiama indignazione
Guardi il telegiornale
Ti arrabbi contro tutta quella gente
Ma poi cambi canale e non fai niente
Io la mia rabbia giusta
Voglio tenerla in cuore
Io voglio coltivarla come un fiore
Vedere come cresce
Cosa ne esce
Cosa fiorisce quando arriva la stagione
Vedere se diventa indignazione
E se diventa, voglio tenerla tesa
Come un'offesa
Come una brace che resta accesa in fondo
E non cambia canale
Cambia il mondo.

Bruno Tognolini, *Rima della rabbia giusta*

Li conosceva, la montagna, i desideri degli uomini. Li aveva visti nascere e crescere sul fianco esposto a mezzogiorno, spingere le radici nella terra, e quando terra non c'era, scavarsi una strada tra le argille e le dolomie, nell'acquitrino, nelle crepe dei sassi.

Certi desideri erano timidi e modesti come ranuncoli, si stringevano umili al suolo e cosí si bastavano. Altri crescevano piú alti, superbi e tossici come steli di digitale, oppure ingannevoli come la pinguicola, la pianta carnivora dai fiori invitanti.

All'inizio erano desideri di caldo e casa, figli vivi e pietra dura. Poi, erano cambiati. Gli uomini volevano cose diverse e nuove, cose che loro non sapevano piú misurare. Avevano capito che il mondo era grande, e allora si sentivano grandi anche loro, e certe volte partivano e andavano convinti di arrivare dove il mondo finiva, senza sapere che il mondo non finisce mai.

Che sono solo loro, gli uomini, a finire.

9 ottobre 1963

Era una notte silenziosa come solo le notti di montagna sanno essere. Se presti attenzione, e sai ascoltare, i torrenti ti sussurrano antiche verità. Il vento trasporta il profumo dei pascoli e delle pinete e la montagna ti guarda e ti vede.
Erto, il paese aggrappato alle ripide pendici a destra della valle del Vajont, si distingueva solo dalle sporadiche lampadine all'angolo delle strade e per le calde luci che le osterie proiettavano sul selciato dei vicoli. Erto era sotto; sopra erano le stelle. Centinaia, migliaia di stelle sparpagliate in cielo come semi di sesamo sul pane. Formicolavano e si specchiavano sulle acque del lago, quello creato dalla diga costruita nel fondovalle. La causa di tutto.
– Vado a fare pipí!
Agostino, nove anni, adorava dire bugie. Soprattutto quando non lo beccavano, e sua madre non lo beccava mai.
Quindi corse alla latrina, appena dietro l'orto, ma poi tirò dritto verso le case del paese.
La montagna ti guarda e ti vede, pensò. E sperò che quella sera fosse in vena di perdono.
Mentre sgattaiolava tra le capezzagne, ripassò il piano. Ci

aveva lavorato su una settimana, scartando le scuse piú strane (ho salvato un vitellino caduto nel crepaccio) e quelle piú deboli (mi sono ingarbugliato nei rovi). Alla fine aveva avuto il colpo di genio, la scusa delle scuse: ho incontrato il vecchio Giulio, era ubriaco e barcollava, allora l'ho accompagnato fino a casa.

A Giulio il vino piaceva eccome, lo sapevano tutti, ogni tanto lo trovavano assopito in un pascolo o nella mangiatoia di una stalla con le vacche indignate per la fiatella.

E poi si era in ottobre e la sera faceva troppo freddo per dormire all'addiaccio. Invece di essere sgridato, Agostino si sarebbe preso i complimenti. «Bravo Agostino, che ragazzo coscienzioso, eccoti latte e miele».

Un trionfo.

Il campanile batté le dieci e mezza. Ago fece il giro largo per evitare le osterie. Di solito, a quell'ora, si sentiva sempre cantare. Oppure i vecchi sedevano sotto i porticati di legno con le loro pipe di sambuco e raccontavano ai giovani storie meravigliose del passato.

Ma non quella sera. Molti ertani erano andati via perché avevano paura del lago. O per meglio dire, della diga. Avevano caricato i loro averi sugli autocarri della SADE e non si erano piú visti. Le case erano rimaste vuote, le finestre cieche e mute.

Una di quelle case aveva un muretto che circondava un piccolo giardino, dove un'altalena penzolava malinconica sotto il suo ramo.

Ago accarezzò il muretto, contò una, due, tre, quattro pietre e poi tirò la quinta, che venne via senza fare resistenza.

Dietro c'era uno spazio da cui estrasse una scatola di legno delle dimensioni di un pallone da calcio. Aveva scoperto quel nascondiglio da un pezzo, ma era la prima volta che lo usava, e ritrovare il suo tesoro gli diede una bella soddisfazione.

La scatola era squadrata e mal rifinita, con i cardini di cuoio ricavati da un vecchio paio di stivali e una serratura di spago rosso.

Ago la aprí per assicurarsi che il contenuto fosse ancora intatto, poi la richiuse con cura e se la ficcò sotto il braccio sinistro.

Imboccò una salita ripida e sdrucciolosa per arrivare nella parte alta del paese. Là si apriva una piazzetta larga e piatta, e tutto attorno le case si abbracciavano l'un l'altra come sorelle.

Le botteghe erano buie e sprangate. Non era solo per via dell'ora tarda. Alcuni negozianti se n'erano andati e quegli androni non sarebbero stati aperti mai piú.

L'accogliente porta di quercia dell'Osteria del Becco Giromino era spalancata e dall'interno arrivava un sommesso vociare condito da un profumino di salsiccia alla brace.

Accanto all'ingresso spiccava l'insegna dell'osteria: una capra di legno dallo sguardo soddisfatto, con due corna magnificenti che piegavano a ricciolo. Il Becco Giromino in persona.

Ago sbirciò rapidamente all'interno, poi fece il giro dell'edificio e si appostò accanto all'unica finestrella illuminata.

Dava su una cucina, quasi tutta occupata da un enorme pentolone che dondolava sul fuoco mezzo spento. Era il paiolo di rame con la polenta, che veniva sempre tenuta in caldo per gli eventuali ritardatari.

Lí vicino, c'era una ragazzina. Stava china sull'acquaio e sfregava i piatti sporchi con una spazzola. Portava un fazzoletto a fiori annodato sulla testa che lasciava spuntare ciuffi di capelli selvaggi. Lei cercava di scostarli dalla fronte con gli avambracci, perché aveva le mani insaponate, con l'unico risultato di arruffarli ancora di piú.

Ago picchiettò sul vetro con l'unghia e la ragazzina si voltò. Guance bianche da rana, occhiali neri e sorriso sbilenco: Ago, naturalmente. Solo lui aveva la faccia di presentarsi lí a quell'ora.

Irritata, tornò ai suoi piatti.

Allora Ago bussò col pugno, ma diede un colpo cosí brusco che il vetro della finestra si staccò dal telaio e si fracassò sul pavimento.

Un uomo dalla testa tonda e rossa come un lampone fece capolino dalla porta.

– Rosa? Che succede? – chiese, con una vocetta che si addiceva pochissimo alla sua stazza.

Elvezio Barbacovi, padre di Rosa e oste del Becco, era l'uomo piú rotondo mai vissuto nel Vajont.

– È stato il vento, papà! – si affrettò a rispondere Rosa, raccogliendo i frammenti e gettandoli in un secchio di legno già mezzo pieno di scarti di cibo. – Ha sbattuto la finestra.

– Vento? – ripeté Elvezio, sbirciando in strada. L'aria era ferma come una lapide.

Dal suo nascondiglio a due centimetri di distanza, Ago si tappò la bocca per non fiatare.

11

– Oh, be', cose che succedono, – disse Elvezio perplesso, rientrando. – Ti sei spaventata?

– Un po'.

– Infilaci uno straccio. Domani la faccio riparare.

Elvezio stampò un bacio veloce sulla testa della figlia e tornò a servire in sala. Uno degli avventori insisteva che era riuscito a mungere un toro, e intorno alla faccenda s'era sviluppato un intenso dibattito che Elvezio non voleva perdere per niente al mondo.

Quando tornò il silenzio, Ago fece di nuovo capolino, trovandosi faccia a faccia con Rosa. Aveva un bel viso aperto, con un piccolo naso che si alzava leggermente sulla punta e due sopracciglia grosse come marmotte. Sembrava arrabbiata. Molto arrabbiata.

– Brutto scemo, mi hai spaccato la finestra!

– Io... volevo chiederti scusa.

– Per il vetro?

– No. Cioè sí. Ma anche per l'altra cosa.

Rosa fissò l'amico con intensità. Aveva pensato un sacco a quella faccenda, ripercorrendo la loro ultima conversazione parola per parola. Alla fine aveva concluso che sí, forse lei era stata troppo dura; ma lui restava comunque uno scemo.

Ago udí un rumore e si guardò alle spalle. Non voleva essere visto (perlomeno non senza Giulio ubriaco).

– Senti, puoi uscire un attimo? – bisbigliò.

– Perché?

– Devi vedere una cosa.

– Ti ho già detto che le rane morte non m'interessano.

– Non è una rana!

– Una vipera?

– Neanche.

– Non sarà di nuovo la placenta di un vitello? Guarda che stavolta ti picchio.

– È una cosa *interessante*, – sottolineò Ago. Poi sollevò la sua scatola e la infilò nel vano della finestra. Lo occupava quasi tutto.

– Cos'è? – domandò Rosa con una punta di curiosità.

– L'ho fatto io. Per te.

Rosa ci pensò un attimo e guardò verso la porta da cui era spuntato Elvezio.

In sala stavano ancora parlando della mungitura del toro e qualcuno aveva citato il Minotauro.

– Va bene, – concesse infine. – Ma se è un'altra delle tue stupidaggini, giuro che ti spingo nel letamaio –. Poi gridò a suo padre: – Vado a prendere l'acqua al pozzo, papà!

L'uomo non si voltò neanche mentre rispondeva: – Non metterci troppo!

Allora Rosa prese un altro secchio, uno pulito, e uscí dalla porticina secondaria, sbucando a pochi passi da Agostino.

– Eccomi, – disse con freddezza. – Ma guarda che ho poco tempo.

– Allora dobbiamo correre.

Ago le afferrò la mano e la tirò. Si aspettava una forte e strenua resistenza, come quando vuoi strappare un carpino che è piú alto di te. Invece la mano cedette subito, seguendolo nella corsa.

– Ma dov'è che andiamo? – farfugliò Rosa ansimando.

– Piú su!

Uscirono dal paese e proseguirono nel buio su un sentiero ripidissimo. Gli orti sarchiati da poco spandevano odore di terra profonda. Piú su si aprivano i primi pascoli, e gli abeti fremevano e vibravano di movimenti furtivi. Gli alberi, di notte, erano pieni di vita.

– Ma insomma! Quanto ci vuole ancora?

– Ci siamo quasi, – rispose Ago. – Fa' attenzione.

La trattenne dolcemente per la mano, perché avevano imboccato una stretta lingua erbosa che piegava verso valle. Da una parte c'era la roccia, dall'altra il buio. Ago si strinse la scatola al petto. Se gli fosse scivolata sarebbe caduta nel nulla, fracassandosi sulle rocce sottostanti. E allora addio regalo.

Un passo dopo l'altro, i due sbucarono su uno sperone di roccia a strapiombo sul lago. Da lí si vedeva tutto.

Le stelle erano cosí tante e chiare che a guardarle ti sembrava di sbirciare su su fino al tetto dell'universo.

Ma era in basso, il vero spettacolo. Una M di piccoli lumi larga chilometri marchiava il fianco del Monte Toc come una costellazione, grappoli di luce appesi alle gambe della notte. Si specchiavano sulle acque del lago e formicolavano sotto la brezza che increspava le onde.

La diga spuntava dalle acque come il relitto di una nave rovesciata. Era tutta illuminata, si potevano distinguere i tecnici che camminavano avanti e indietro sulla sommità.

Un potentissimo faro tagliava il buio a sforbiciate, frugando la pancia della montagna. L'ovale largo e brillante si muoveva senza sosta sul fianco del Toc, scacciando le tenebre per il tempo di uno sguardo.

– L'hanno montato oggi, – spiegò Ago con orgoglio. – Fa impressione, eh?

Rosa sgranò gli occhi. Erba, alberi, torrentelli, sentieri. Tutto quanto appariva e spariva sotto quel fascio di luce che cercava qualcosa senza trovarlo mai. Spesso tornava sul perimetro della grande M, illuminata dalle paline che segnavano la posizione della fenditura che si era aperta nel terreno. Perché era lacerata, la montagna. Un graffio profondo la segnava tutta lungo il fianco, come se una tigre gigantesca l'avesse squarciata con una zampata.

Allora lo stupore diventò qualcos'altro, perché Rosa non aveva mai visto una montagna ferita, e vederla le faceva male.

– Cos'è successo là?

Ago seguí lo sguardo dell'amica. – Incredibile, vero? È come un graffio.

Rosa annuí piano. E Ago si gonfiò in petto a vederla cosí, coi grandi occhi luminosi a guardare la stessa cosa che vedeva lui.

Strinse la sua scatola un po' piú forte, assaporando il gusto dell'attesa. Chissà che faccia avrebbe fatto Rosa, aprendola. Avrebbe sorriso, finalmente, oh sí. Avrebbe scoperto quei suoi denti bianchi con gli incisivi a punta che la facevano sembrare una piccola volpe. E allora forse lo avrebbe perdonato per i brutti discorsi di quell'estate, che gli erano rimasti sul gozzo come un boccone che non puoi mandare giú.

Rosa si accorse che lui la fissava e arrossí.

– Dimmi una cosa, – disse poi. – Tu stai bene qui?

– In che senso? Intendi, qui al paese?

Rosa fece spallucce. – Qui in generale. In montagna.

Ago sospirò. Non era un pensiero nuovo per lui. Quante volte aveva fantasticato di andarsene in città, una città grande e importante, piena di gente che faceva lavori diversi, e semafori, automobili, rumori.

Solo che poi gli venivano in mente certe mattine, quando ti svegliavi con le capinere che strillavano di là dalla valle, i piedi affondavano nell'argilla bagnata e la montagna ti guardava come se fossi figlio suo. E allora Ago si vergognava di avere desideri cattivi che lo volevano portare via.

– Agostino, – lo riscosse Rosa.

Si era appena accorta di qualcosa che non aveva notato prima, presa come era a guardare. – Questo rumore...

– È il Toc.

– È il Toc, – ripeté Rosa, come rapita.

Le voci segrete della montagna, quelle che nessuno poteva ascoltare perché vibravano nel ventre della terra, ora ruggivano feroci come leoni in gabbia. La roccia urlava le sue parole di vento, gridava qualcosa di doloroso e sospeso, ed era un grido spaventoso e bellissimo insieme, un terribile canto di sirena che ti faceva prigioniero.

– Senti che pandemonio, – mormorò Ago affascinato. – Non è grandioso?

Rosa non rispose subito. Fissava l'altro lato della valle, ipnotizzata dai movimenti della macchia luminosa.

– Sí, – ammise. – Fa paura.

Ago annuí. Era quello il bello. Una paura da cinema, come quando vedi il mostro che distrugge tutto e però sai che alla fine verrà sconfitto.

Tornò a guardare la montagna, a sentire quella furia eccitante e pericolosa. Di slancio cercò la mano di Rosa e la strinse. Era secca di sapone, e fresca.

– E tu stai bene qui? – chiese all'amica. – Hai mai pensato a lasciare l'osteria?

Rosa scoppiò a ridere. – E ci mancherebbe, mica voglio lavare piatti tutta la vita!

– Perché no? A me piacerebbe avere un'osteria. Vino, polenta, serate allegre...

– Ma a me no. Voglio diventare naturalista.

– Che?

– Naturalista. Studiare le piante e gli animali, insomma tutte le specie viventi.

– Come una scienziata?

– Una scienziata della natura, sí.

Ago era stupefatto. Non aveva mai pensato che si potesse diventare scienziati. Era un lavoro semplicemente... lontano. E invece, per la miseria, scienziata! Chissà cosa bisognava fare per diventare naturalisti. Una scuola sicuramente, ma quale? E dove? Lui non era mai stato bravo con gli studi, ma Rosa era la ragazza piú intelligente che conosceva. Sarebbe diventata famosa, sicuro come l'oro. E lui sarebbe andato a trovarla in Perú o in Amazzonia o là dove era a fare le sue ricerche, e avrebbe detto a tutti: «Io la conosco da quand'era una piccoletta cosí!»

– E come ti è venuta l'idea?

Rosa sciolse la mano da quella dell'amico e la usò per pettinarsi i capelli in una treccia improvvisata. Con il vento, sciolti le davano fastidio.

– Non lo so, – rispose poi. – L'ho sempre avuta, da quando nonno Bastiano mi fece vedere un suo quaderno di quand'era giovane, dove annotava tutta la fauna e la flora del Vajont. Anche gli insetti. La prima volta che l'ho visto non sapevo neanche leggere, eppure rimasi incollata alle pagine come se fossero calamite. Me lo tengo ancora sul comodino quel quaderno, sai?

– Non me l'avevi mai detto.

– Non me l'avevi mai chiesto.

Rosa tornò ad intrecciare la mano con quella dell'amico, senza guardarlo.

Ago sorrise. – E tuo padre che dice?

– Niente dice. Lui aveva il sogno di aprire l'osteria, e l'ha aperta. Io ho un sogno diverso, e quindi farò delle cose diverse. Non è naturale?

Agostino annuí, certo che lo era. Solo, non ci aveva mai pensato.

– E tu? – domandò Rosa. – Cosa vorresti far...

Fu allora che notò, per la prima volta, che non era fermo il Toc. Dall'altro lato del lago, là sul versante a strapiombo, qualcosa si muoveva.

– Ago, – disse.

E non aggiunse altro, perché Ago aveva seguito il suo sguardo e ora fissava lo stesso punto con uno strano filo d'orrore.

Cosí i due ragazzi, mano nella mano, in cima alla rocca, videro l'inizio di tutto.

Cascate di pietre che rotolavano giú per le scarpate e finivano in acqua, fiumi di terra e roccia trascinati verso il basso da una rabbia invisibile, alberi sradicati che slittavano giú come briciole scrollate dalla schiena del mondo.

18

La terra tremò sotto i loro piedi e i ragazzi si strinsero uno all'altra per non cadere. Un suono sordo e lontano, un rimbombo cosí basso da potersi ascoltare piú con il petto che con le orecchie, cominciò a crescere inesorabile, mentre il faro della diga si muoveva sempre piú frenetico e nervoso.

Accadde tutto in fretta, cosí in fretta da sembrare irreale.

La M di luci si staccò dalla montagna e cadde giú, come una collana slacciata dopo una sera di festa.

Ma no, un momento.

Non erano le luci.

L'intera montagna franava rapidissima nel lago.

Rosa si sentí mancare il respiro e portò una mano alla gola.

Di colpo si trovò vuota e ferma, sospesa nel tempo e nello spazio, e l'unica cosa vera adesso era la mano di Ago nella sua.

Un lampo abbagliante frustò il cielo.

Poi, buio assoluto.

Una raffica feroce schiaffeggiò i ragazzi e li gettò a terra. L'impatto fu cosí violento che Ago perse la scatola da sottobraccio.

– No! – gridò, cercando di strapparla alle unghie del vento, ma Rosa lo trattenne, gli si aggrappò addosso come un naufrago a una tavola di legno.

Sentirono una scarica di tonfi tutto attorno, e la terra e le rocce che schizzavano dovunque.

Ed ecco, davanti a loro si sollevò una sagoma nera e impenetrabile, un muro d'ombra colossale che sembrava salire dal fondo della Terra. Era acqua, roccia, fango? Non si capiva. Era tutto. Il rabbioso spirito della montagna arrivava, si sollevava a sfogare la sua vendetta.

La sagoma si piegò su di loro occupando tutto il cielo. D'istinto Ago si liberò dalla stretta di Rosa con uno strattone. Poi le si gettò sopra e le abbracciò la testa, cercando di proteggerla da qualunque cosa stesse piombando su di lei, su di lui, sul mondo intero.

2. Parole di polvere

Stessa valle, trentaquattro anni (e una guerra) prima

Sfrecciava su stradine sterrate trafficate solo dagli asini e, al piú, da qualche mesto carretto trainato da un cavallo bigio. Dietro di sé lasciava una nuvola polverosa capace di oscurare il sole.

Era una Moto Guzzi Sport 14 con carrozzino color barba del diavolo, un rosso fuoco che sembrava uscito dritto dall'inferno.

La moto era schiacciata da due enormi zaini di tela grezza, legati stretti al portabagagli. Il pilota era piegato sul manubrio per abbassare il centro di gravità, mentre il passeggero, nel carrozzino, era sicuro che fosse giunta l'ora della morte. Con una mano si teneva stretto un cappellaccio da alpino, appuntito come la sua barba nera. Con l'altra cercava di restare attaccato al veicolo come un cavaliere cerca di domare un cavallo pazzo.

– Ingegnere! Vada piú piano! – gridò. – Per pietà!

– Come? Non la sento! – replicò l'altro, tutto concentrato sulla guida e sul rombo del motore. – Me lo dica dopo!

A vederla, una moto con il sidecar sembra un divanetto con le ruote, un salottino per vecchie zie con la passione dei motori. Ma basta farci un giro per cambiare idea, soprattutto se la

21

moto è una Guzzi. Ci vogliono nervi saldi e grande esperienza per guidare un sidecar. Nelle curve a sinistra, per esempio, la moto tende ad andare dritta perché il peso del carrozzino la trascina verso l'esterno. Nelle curve a destra, invece, lí c'è l'emozione. La moto si inclina pericolosamente e il carrozzino si solleva da terra come in una giostra.

Il rombo del motore 500 echeggiava per tutta la valle del Vajont, spaventando gli uccelli e facendo perdere latte alle mucche. Correva l'anno 1929: in quei luoghi sperduti, i veicoli a motore erano una rarità.

– Qui va bene, – dichiarò infine il pilota. Con una lunga e rumorosa derapata che fece schizzare ciottoli a destra e a sinistra, uscí di strada e si fermò su un praticello che pendeva leggermente verso il fondovalle. Puntò le ruote contro una roccia (meglio non fidarsi dei freni a tamburo) e poi saltò sull'erba strappandosi gli occhialoni di dosso e godendosi il panorama.

Con la testa finalmente libera, l'ingegner Carlo Semenza inspirò profondamente l'aria energetica della montagna.

– Venga, Giorgio, venga a vedere! – esortò.

Il professor Giorgio Dal Piaz, geologo, scese con le gambe tremolanti. Si sentiva le ossa rimischiate e non tutte erano tornate a posto. Tossicchiando per la polvere e le mosche che aveva ingoiato nel tragitto, si affiancò all'ingegnere e aguzzò gli occhi arrossati.

– C'è nebbia?

– Macché nebbia! Non vede che giornata?

Semenza lo osservò per assicurarsi che stesse bene. Dopotutto il geologo aveva vent'anni piú di lui e chissà, a una certa età

poteva capitare di tutto. Ma poi vide la causa di tanto scon-
certo e alzò gli occhi al cielo.

– Giorgio, si pulisca gli occhiali, – disse, mentre sfilava una
carta topografica dalla tasca interna della giacca.

– Ah. Gli occhiali. Certo, – farfugliò il compagno avvam-
pando.

Quando poté vedere di nuovo la luce del sole, Giorgio Dal
Piaz restò folgorato dal panorama. Davanti a loro si srotolava,
come un tappeto, la silenziosa, pacifica, misteriosa valle del
Vajont.

A destra, seminascosto da uno sperone di roccia, s'arrampi-
cava il paesino di Erto, con le pietre grigie che sembravano
fatte di sole. Ancora piú su c'era San Martino, dove la valle si
stringeva e scavalcava i monti verso Cimolais.

Sotto di loro correva un ripido strapiombo che raggiungeva
il fondovalle, coperto di prati verdissimi punteggiati dalle
mandrie. Vacche e capre erano tutte impegnate a ruminare
ciuffi d'erba, e spingevano su un odore forte di ginepro che
pungeva le narici e faceva sentire freschi e selvatici. Qui e là
spiccavano i segni degli uomini: stalle, ricoveri per gli at-
trezzi, piccole borgate. Erano i terreni migliori di tutta la
valle quelli, i meno ripidi, ricchi di terra fertile e generosa.

A sinistra, come per pigrizia, la valle si allargava un poco
verso Casso, un paesetto con le case di pietra alte e strette
come comari infreddolite. Si diceva fosse stato fondato da un
gruppo di boscaioli di Erto, che volevano stare piú vicino ai
loro boschi.

E poi, ancora piú a sinistra, la valle terminava in una forra
ripida e stretta, un corridoio angusto, ma profondo, scavato

dal torrente nel corso dei millenni. Sembrava una pugnalata sul fianco della montagna.

Il Vajont era uno di quei luoghi che ti fanno venire nostalgia di qualcosa che non sai bene, e ti tengono il cuore in pugno come un pulcino nell'uovo. Ti ricordano che pur con tutti i tuoi accessori e cappelli e orologi non sei altro, tu come tutti, che un figlio della terra.

– Bella, eh? – gongolò Semenza, come se tanta bellezza fosse merito suo.

– Bella, sí.

Solo allora Dal Piaz notò una figura in avvicinamento.

Un uomo con barba e capelli selvaggi e una scure infilata nella cintura uscí dalla boscaglia e prese a fissare i nuovi venuti con intensità. Aveva un gran coltellaccio con cui tagliava fette da una forma di formaggio. Tagliava e mangiava, senza mai interrompere il contatto visivo.

– Allora cosa vede, professore? – domandò Semenza, ignorando il montanaro. – Dica, dica.

– Splendida valle. Incantevole. Se solo potessimo dismettere i panni professionali e fare un po' di alpinismo...

– Non sarebbe male, – rispose l'ingegnere. – Ma dobbiamo accontentarci. Possiamo considerare questa spedizione come una vacanza pagata dalla SADE, no? Goderci il sole della montagna, l'aria pulita che solo queste valli sperdute conservano ancora intatta...

L'uomo si soffermò a fissare il panorama con aria ispirata.

– Eh sí, eh sí, – commentò Dal Piaz, che non brillava per le sue doti poetiche.

– Quello che però volevo dire, – riprese Semenza, – è che

quando guardo questa valle io vedo un contenitore. Un bel barile grosso e capiente. Le carte non mentivano, mio caro professore! Questo è il posto giusto, non ci sono dubbi.

Il geologo girò su se stesso per osservare la montagna da ogni parte. Ma a tre quarti del giro, si bloccò e cominciò ad accarezzarsi la punta della barba.

– La conformazione del terreno ha peculiarità che non erano chiarissime sulla carta, – osservò aggrottando la fronte. – Mi chiedo se...

– La vede quella forra? – lo interruppe l'ingegnere senza ascoltare. – Le due spalle sono tutte di roccia compatta! Anche se questo dovrà accertarlo lei, naturalmente. Ma mi sembra evidente che quelle sono due belle colonne messe lí dal padreterno apposta per noi.

«Adesso non esageriamo» pensò il geologo, che però sapeva quando tenere la bocca chiusa. E cercò di immaginare il fondovalle allagato come se la diga fosse già su.

I campi e i pascoli sarebbero finiti tutti sott'acqua, ovviamente, come anche un buon numero di costruzioni. I tanti sentieri che portavano da un lato all'altro della valle sarebbero spariti, e si sarebbe dovuto fare il lungo giro del lago per passare da una parte all'altra.

– La vita di questa gente andrà annegata per fare spazio alla riserva d'acqua, – osservò.

– Eeeh! *Annegata!* Non mi usi questi paroloni, professore, che poi mi diventa pessimista, e i pessimisti sono tristi e grigi. Gli abitanti della valle devono pensare che la diga porterà lavoro, piuttosto! Elettricità! Questo devono pensare. Del resto, è cosí.

Dal Piaz non commentò. Aggiunse invece: – Però quella montagna...

– Il Toc? – lo anticipò l'ingegnere, che sembrava assai impaziente di spazzare via i problemi prima ancora che arrivassero.

– È lí da millenni. Quindi una garanzia.

– Senta, mi ha chiamato qui per fare un rilievo, – borbottò il geologo, – o per dirle «va tutto bene» senza neanche controllare?

L'ingegnere cambiò tono: – Ma certo, ma certo! Si capisce che l'esperto è lei, professore. Anzi, dica: ce l'ha il suo martelletto?

– Un geologo ha *sempre* il suo martelletto.

– Allora vada a martellare le sue pietre, che io voglio parlare con quel signore laggiú. Da quando siamo arrivati, ci guarda con due occhi che ci mangerebbero volentieri a colazione.

– Io non *martello le mie pietre*, – replicò il geologo stizzito, inerpicandosi con insospettabile agilità su una salita ripidissima. – Esamino minerali, signore. *Minerali!*

L'ingegner Semenza scacciò l'obiezione con un gesto della mano, tutto preso ormai dall'uomo di montagna.

– Salve! – gridò, approcciandolo con il suo sorriso da cento milioni. – Lasci che mi presenti: Carlo Semenza, ingegnere.

Allungò una mano con disinvoltura, ma dovette abbassarla subito. Il montanaro si limitava a fissarlo negli occhi con persistenza, senza muovere un sopracciglio, e intanto continuava a mangiare il suo formaggio da cui promanava un odore di stalla carico e vibrante.

– Siamo qui per turismo, – spiegò Semenza un po' disorientato. Di solito il sorriso da cento milioni non falliva mai.

– Bel posto comunque, eh? Ve lo tenevate ben nascosto, voi valligiani!

Nessuna reazione.

– Senta, non sa se c'è un posto dove possiamo mangiare? Sa, non abbiamo portato niente con noi...

Il montanaro sollevò il polso quel tanto che bastava per indicare Erto con la punta del coltello.

– Là? Ah, grazie. E dove sarebbe di preciso? Intendo, se magari può darci il nome di un'osteria...

– Ce ne sono nove, – disse il montanaro, parlando per la prima volta. La sua voce era limpida come un torrente d'alta quota.

– Ah, benissimo. E me ne potrebbe consigliare una? Si capisce che lei è un intenditore... – aggiunse l'ingegnere, ammiccando alla grezza formaggetta gusto stalla.

– Ma cos'è che siete venuti a fare? – chiese il montanaro secco.

– L'ho detto prima, siamo turisti...

– Magari è vero, ma io di turisti che prendono le misure alla valle non ne ho mai visti.

L'ingegnere si affrettò a riformulare: – Sí, cioè no, siamo turisti però io rappresento un'azienda... oh, ma non voglio star qui ad annoiarla. Si capisce che lei è un tipo pieno d'impegni! Diciamo che siamo venuti a fare un giro per vedere il posto, e finita lí.

– Il posto? – ripeté l'uomo. – Posto per cosa? Qui non ce n'è di terreni in vendita.

– Ma no, uh uh, cos'ha capito! – esclamò Semenza con una risata fintissima. – Siamo due alpinisti. Appassionati di montagna, capisce? Siamo già stati sul... sulla...

27

– Ingegnere, venga a vedere! – gridò Dal Piaz dall'alto di un poggio. – Qui non ci siamo mica!

– Mi scusi, mi chiama il mio amico, – farfugliò Semenza, congedandosi in tutta fretta.

Il montanaro, impalato, infilò in bocca l'ennesima fetta di formaggio e seguí l'uomo con gli occhi mentre imboccava il sentierino. Carta topografica della valle e ispezioni del terreno. Se quelli erano turisti, lui era la regina di Francia. Quando fu abbastanza lontano, Semenza redarguí Dal Piaz con irritazione.

– Non deve gridare davanti alla gente del posto! – sibilò.

– Non devono sapere niente finché non sarà necessario dire qualcosa. E anche allora dovremo dire il meno possibile. Per non avere grane, capisce?

– Ha ragione, ingegnere. Ma guardi cos'ho trovato. Ci troviamo a ridosso di una antica frana paleolitica. Se guarda bene, sulla carta si scorgono i confini del materiale di riporto.

– E con ciò?

– Ho *martellato le mie pietre*, come dice lei, e posso assicurarle che qui non c'è compattezza. A vederla cosí direi anzi che questa montagna è sorprendentemente instabile. Per cui capirà bene che un invaso...

– Sciocchezze, sciocchezze! – tagliò corto Semenza. – Lei si fascia la testa prima di averla rotta. C'è un po' di materiale sciolto? È sicuramente superficiale. Altrimenti, ci pensi: come si spiega che quella montagna sta lí dal paleolitico?

– No, ha ragione lui! – li interruppe il montanaro, sbucando da una roccia come uno stambecco e facendo prendere un colpo all'ingegnere. – Questo qui è il Monte Toc!

– Lo sappiamo già, – ribatté Semenza, che si sentí scoperto e si irrigidí.

– E sapete anche che è il diminutivo di *patoc?*

– *Patoc?*

– Significa marcio, – spiegò il montanaro. – Marcio, capite? È una montagna che ogni tanto ne viene giú un pezzo.

– Come vuole lei, – tagliò corto Semenza. – Venga, Giorgio, andiamo a cercare un'osteria.

Cosí dicendo trascinò Dal Piaz fino alla moto e ripartí senza degnare di un altro sguardo il montanaro.

Giorgio Dal Piaz, invece, continuava a voltarsi indietro per osservare il Toc. E il monte sembrava guardarlo di rimando, con i suoi occhi di terra e roccia che arrivavano dall'inizio dei tempi.

– Bisogna fare attenzione a quella montagna, – disse. Ma le sue parole si persero nella polvere, calpestate dalle ruote della moto in corsa.

3. UNA BRUTTA PAGELLA

Tutta la Scuola, in tutti i suoi gradi, educhi la gioventú italiana a comprendere il fascismo, a rinnovarsi nel fascismo e a vivere nel clima storico creato dalla rivoluzione fascista.

Benito Mussolini

La targa di marmo sopra il portone della scuola aveva una gran voglia di gridare ai quattro venti che quella era una brava scuola fascista di fascisti che obbedivano ai fascisti. Sotto il grande palazzone bianco cadeva un'ampia scalinata di pietra, che pioveva giú come il velo di una sposa. Là, rannicchiata sull'ultimo angolo dell'ultimo gradino, una bambina si teneva la testa con le mani.

– Noo noo noo, – gemeva, dondolando avanti e indietro e nascondendo il viso tra le ginocchia. – NO!

Aveva lunghi capelli color pigna legati in due trecce, una fronte ampia che sembrava fare spazio ai piú vivi pensieri, e braccia e gambe lunghe come trampoli. Di per sé era una bambina in salute, con guance piene e un sorriso vivace, ma in quel preciso momento era pallida come un cencio messo al bucato.

Ogni tanto una persona saliva o scendeva la scalinata del palazzo, che era insieme il Municipio e la scuola di Trichiana. Anche il podestà si trovò a passare: sbirciò la piccola un po' perplesso, poi tirò dritto pensando ai fatti suoi.

– Non ci posso credere, – mugolava la bambina. – Ma come ho fatto? Come. Ho. Fatto?!

Lo sapeva benissimo come aveva fatto.

Pina, sua sorella maggiore, la preferita di tutti, era a servizio dal brigadiere dei carabinieri che aveva una bambina piccola. Ma ogni tanto si sentiva mancare e la dovevano portare in fretta e furia a casa, dove restava sdraiata al buio tutto il giorno.

E la moglie del brigadiere mica poteva tenersi la bambina da sola. Certo che no, lei aveva da farsi le unghie, pettinare il barboncino o ricevere le amiche per un caffè. Allora andavano a prendere la sorella di Pina: Clementina detta Tina, quella che faceva ancora la quinta elementare, e che ci pensasse lei.

Poi, al pomeriggio, c'erano le faccende di casa. Bucato, pulizie, cucinare. Ma soprattutto il lavoro della campagna: portare il fieno e l'acqua alla mucca, pulire la stalla, barellare il letame fino al campo, zappare e seminare l'orto, bagnare l'orto, strappare le erbacce nell'orto, togliere i pidocchi dai pomodori dell'orto, ribagnare l'orto, raccogliere le verdure mature.

C'era *sempre* del lavoro da sbrigare. Tempo per studiare, mai. Tutti in famiglia avevano la quinta elementare. Anche Wilma, la piú cara amica di Tina, era stata promossa. L'unica a rimanere indietro era lei, Clementina.

– Voglio cancellare tutto! – esclamò, con i singhiozzi chiusi in gola. – Voglio ripartire da capo!

Neanche l'avesse sentita, sul portone della scuola si affacciò la maestra Ines; come sempre, indossava la divisa fascista scura e perfetta.

– Clementina! Che ci fai ancora qui?

31

La bambina scrollò le spalle. La maestra, sorridendo, le si sedette accanto.

– Forse dovrei chiederti scusa, – disse, accarezzandole la testa dolcemente. – Lo so che ti sei data tanto da fare per aiutare la famiglia.

Clementina annuí.

– Avrei voluto regalarti la promozione. Ci ho pensato tanto! Ma ci sono delle regole e io per prima le devo rispettare. Il fascio ci vuole onesti e operosi. Pensaci un momento: se regalassi la licenza elementare a tutti gli studenti, chi vorrebbe studiare piú? Nessuno starebbe chino sui libri o cercherebbe di capire la matematica. Farebbero altro perché tanto, dopo la quinta, la promozione è assicurata. La scuola non servirebbe piú a niente.

A suo modo, la maestra Ines voleva fare un discorso affettuoso. Ma Clementina capí solo: «Se promuovevo te crollava la scuola. Vuoi che crolli la scuola?»

E in quel momento sí, Clementina sarebbe stata volentieri a guardare la scuola che crollava, e poi sarebbe andata tranquilla a bagnare l'orto.

– Adesso ti sembra una cosa terribile, la cosa peggiore che ti potesse capitare, – proseguí l'insegnante. – Ma cosa vuoi che sia ripetere l'anno? Ora che sai già tante cose, l'anno prossimo sarà piú facile.

«Non ci sarà nessun anno prossimo, – pensò Tina senza dirlo.

– Mamma me l'ha già detto: devo andare a servizio. A servizio come quell'oca della Cinzia».

Tina balzò in piedi come se l'avesse punta un calabrone.

– Però la Cinzia l'ha promossa, no? – si lasciò scappare.

La maestra Ines avvampò. – Sí, ma che c'entra?

– Andava peggio di me la Cinzia. Ma siccome fa la serva dalla maestra Colle, allora l'avete promossa. E io che invece sono solo Clementina Merlin, vengo bocciata perché tanto non sono nessuno. È vero o no?

Ines rimase a bocca aperta. Allora lo sapevano tutti?

Ad ogni modo, Clementina non aspettò una risposta. Scappò via di corsa perché voleva allontanarsi il piú possibile da quell'edificio bianco. Non voleva che la vedessero piangere.

Correva senza guardare dove andava. Superò il ponticello di pietra sopra il torrente e inciampò su un sasso. Planò come un gheppio nel vento, ma poi atterrò come un sacco di patate e il vestito si strappò.

– Ci mancava solo questo, – disse, misurando lo strappo a occhio. – Mamma me le darà di santa ragione.

Già. La signora Merlin si sarebbe arrabbiata piú per lo strappo che per la bocciatura. «A cosa serve la licenza elementare a una bambina come te? – diceva sempre. – Il tuo destino è quello di andare a fare la serva dai signori, come la Cinzia e molte altre. E le serve basta che sappiano quanto fa due piú due e sono a posto».

Lo strappo, invece, avrebbe richiesto filo e tempo per essere rattoppato, e filo e tempo costavano soldi. Per la signora Merlin, ogni spesa era una sofferenza. Aveva le *debite* da pagare, ormai pensava solo a quelle. Le debite prima di tutto.

Tina si ripulí nel torrente e poi prese a camminare lungo le sue sponde. La Marteniga, cosí si chiamava, sfiorava casa Merlin correndo a sbalzi sui sassi e formando bolle schiumose e pozze tranquille. Tina immaginò di sciogliersi come un pezzo di ghiaccio e unirsi alle sue acque, scivolare lontano

33

per poi finire nel grande mare. Forse bastava seguirlo a piedi, un passo dopo l'altro, e lasciarsi alle spalle tutto quanto.

Il torrente invece non la portò al mare, ma a un macigno nascosto in un boschetto di abeti, un luogo che Tina conosceva bene. La bambina si tolse le scarpe e si arrampicò su.

Là si apriva uno spiazzo di muschio poco piú largo della schiena di una vacca. Il macigno era piú alto degli alberi e arrampicandosi lassú (impresa non da tutti visto che le pareti erano quasi lisce) si raggiungeva uno spazio magico.

I cappelli verdi e fieri degli abeti pungevano la pancia del cielo, e il sole si strusciava sulle Dolomiti come un gatto alle caviglie del padrone. Da lassú si poteva ascoltare ciò che sanno le aquile. Là si poteva pensare in pace.

Tina si sdraiò e lasciò che la brezza montana le solleticasse le dita dei piedi.

– Hai undici anni, Tina, – si disse, guardando una nuvola che passava svelta come se non le piacesse stare lí. – E la tua vita è un disastro.

– Un disastro totale, – precisò qualcuno alla sua destra.

Tina si alzò talmente in fretta che per poco non cadde di sotto.

La bionda testa sorridente e abbronzata di suo fratello Antonio sbucava dal bordo della roccia.

– Toni! Come mi hai trovata?

Il ragazzone, sette anni piú di Tina, in pratica un adulto, si issò sulla roccia e allungò le gambe coperte di peluria. Era scalzo anche lui.

– Hai lasciato delle tracce che neanche un cinghiale.

– Ma come mi hai trovato *quassú*?

– Ah, le scarpe. Le hai lasciate di sotto.

Certo, le scarpe. Se le toglieva per arrampicarsi piú facilmente. Le aveva insegnato proprio lui a fare cosí.

Toni era molto ingombrante. Aveva le spalle larghe e braccia grosse come tronchi. Un vero giovane uomo di montagna. Si sistemò sul muschio e Tina sedette accanto a lui nel poco spazio rimasto. Allungò le gambe, cosí corte e sottili e bianche rispetto a quelle del fratello, e avvicinò i piedi a quelli di lui. Erano lunghi il doppio.

– La vita di tutti è un disastro, – sentenziò Toni. – Mica solo la tua.

– Tu non sai niente. Mi hanno bocciato.

Toni esitò. – Ahia.

– Per me niente licenza elementare, capisci? Perfino tu ce l'hai!

– E con questo che vorresti dire?

– Io? Niente...

Toni sorrise. – Sarà meglio.

Tina si sollevò per guardarlo dritto in viso. – Sai cosa mi mette piú rabbia? Che alla mamma non importerà un piffero. Dirà che per fare la serva non c'è bisogno di avere un'istruzione e la cosa finirà lí.

Toni annuí, perché era vero.

– Per lei io non valgo abbastanza.

Il fratello smise di annuire.

– Mamma ha conosciuto un mondo molto duro, – disse.

– Quando aveva otto anni ha seguito una signora che girava per i paesi a raccogliere un po' di bambini in età da lavoro. Sono andati in Valsugana. A piedi. Camminando una notte e un giorno intero. Mamma lavorava di giorno e la notte dor-

35

miva in un sottoscala, con il cane di casa che le teneva caldo. E quando in primavera è tornata a casa per aiutare con la campagna, sai cos'ha trovato?

Tina rimase in silenzio.

– Che i suoi fratelli e sorelle la invidiavano da matti, – continuò Toni. – Perché lei aveva potuto mangiare tutto l'anno, mentre loro avevano patito la fame.

– Non me lo ha mai raccontato.

– Non l'ha raccontato a nessuno, – confermò Toni. – L'ho saputo dalla zia. Credo che la mamma si vergogni. Si vergogna di essere povera e i poveri si vergognano di tutto.

Tina chiuse gli occhi. Era vero, anche lei si vergognava.

Il fratello la vide cupa, ma non la abbracciò, perché la conosceva e sapeva che Tina non voleva abbracci quando stava male.

– Mi dispiace per la bocciatura, – disse soltanto. – So che ti sei impegnata tanto, con la bambina del brigadiere e tutto il resto. Ma senti, la licenza elementare è solo un pezzo di carta. Ci sono un sacco di asini calzati e vestiti che ce l'hanno. Non significa niente. E tu puoi diventare ciò che vuoi anche senza.

Tina si strinse nelle spalle.

– Ciò che importa davvero, Tina mia, è l'impegno. Se ti impegni con tutte le tue forze e dai il massimo non puoi sbagliare. Mai.

Tina pensò che si era impegnata al massimo, e però non aveva ottenuto niente.

Il fratello si sdraiò a pancia in su. La roccia era calda sotto i capelli e sapeva di asciutto e di sole.

– Hai già pensato a cosa vuoi fare della tua vita? – chiese.

Tina fu presa in contropiede. No che non ci aveva pensato. Non aveva nemmeno pensato che la vita andasse usata per fare qualcosa. Ce l'aveva e basta. La viveva, cosí.

– Be', pensaci, – disse Toni. – La tua vita è preziosa. Non la sprecare a piangere per una bocciatura. Pensa a cosa sei capace di fare, fallo, impegnati, e allora la tua vita non andrà buttata.

Tina pensò che non sapeva cosa fosse capace di fare. Forse niente. Era solo una bambina, buona a bagnare l'orto e a farsi bocciare.

– Sei intelligente, – disse Toni, accendendo una piccola luce nei pensieri bui della sorella.

– Come fai a dirlo?

– Be', per esempio ti senti in colpa per essere stata bocciata. Se fossi stupida non te ne importerebbe niente. Sei una che capisce le cose, che ci pensa. E poi, sei brava a leggere.

Tina arrossí. – Capirai.

– Guarda che leggere è tutto. Capire le parole, sapere cosa dicono. Le parole che leggi sono quelle che pensi e che dici. Le parole sono importanti.

Tina non disse niente. Solo, sentí un poco di caldo al cuore, e pensò che forse poteva essere abbastanza per non morire.

Piú avanti, negli anni, Tina capí che quel giorno alla rocca Toni le aveva mostrato che esisteva una strada per lei, come esisteva per tutti. E anche se era lunga e misteriosa, con una destinazione sconosciuta, era la sua strada, e valeva la pena percorrerla.

4. Vita in riviera

Quando hai visto il mondo dall'alto di una montagna, hai respirato l'aria dell'alta quota, hai condiviso con la terra i sentieri nel silenzio e nella meditazione, il mare ti apparirà piatto e monotono.

E sí che in casa avevano insistito per mesi.

– Vedrai che roba, il mare! E che aria, e che sole. Il mare irrobustisce, fa bene alle ossa! Le tue amiche non l'hanno mai visto il mare. Sai che invidia!

Parole inutili.

Anzitutto Tina, a tredici anni, era già robusta a sufficienza. Era diventata una bella ragazza di montagna, alta e con due lucide treccione irrequiete. Era abbronzata e sorridente, sana come un fringuello. Non aveva certo bisogno di quell'aria carica di umidità e sale che arrivava dal mare.

E però non vedeva l'ora di partire, di essere libera e guadagnarsi il pane come tutti gli altri fratelli e sorelle.

Dopo la bocciatura si era subito rimboccata le maniche. Era andata a servizio da un agrario, da un bottegaio e da un'isterica farmacista che prendeva piú medicine di tutti i suoi clienti messi insieme. Tina conosceva il fatto suo: sapeva tenere pulita e ordinata una casa, sapeva cucinare, rammendare e fare tutto ciò che poteva essere richiesto a una donna di servizio. Lo aveva sempre fatto, sin da bambina.

Ciò che secondo sua mamma doveva ancora imparare era lo «stare sotto». Bocca chiusa e ubbidire al padrone. Quello, senz'altro, era il punto debole di Tina.

Ad ogni modo, padrone o meno, quando Tina Merlin scese alla stazione di Santa Margherita Ligure, il mare non le sembrò poi tutto 'sto granché.

I palazzi erano graziosi e ben tenuti, le strade pulite, e la spiaggia arrivava fin sopra al lungomare, con certe palme gigantesche che terminavano in vezzosi pennacchi. Strane piante le palme, cosí frivole, tanto diverse dai pini e dai castagni.

Ma l'impressione era che tutta la città cercasse di stare addosso al mare. Si accalcava su quella striscia di confine tra il mondo solido e quello liquido con un senso d'ansia e soffoco che a Tina non piaceva per niente.

L'unica cosa un po' interessante erano le rovine di un castello che le ricordava le case di pietra delle sue parti. Solo piú tardi scoprí che si trattava di una fortezza costruita come difesa dai pirati saraceni.

– Oh, be', diamoci da fare, – si disse Tina, sollevando la pesante valigiona di cartone che conteneva tutti i suoi averi e seguendo le vaghe indicazioni che le avevano scribacchiato su un foglietto.

Si trovò davanti a una casa al pianoterra, a pochi passi dal lungomare. Aveva un giardino trascurato, e un cortile sul lato opposto.

Quando bussò alla porta, le aprí una bambina un poco piú giovane di lei. Aveva i capelli neri pettinati con una frangia perfetta e la pelle che sapeva di sapone alla lavanda.

– Desidera? – chiese.

– Mi chiamo Clementina Merlin, – si presentò Tina. – Devo prendere servizio presso questa famiglia.

– Ah, alla buon'ora! – sbottò la bambina. – Vieni dentro. Chiamo la mamma.

Tanto lei profumava quanto l'atrio puzzava di chiuso e tristezza, un'aria degna di un sepolcro da signori.

– Chi è? – fece capolino un'altra bambina. Questa era biondiccia e indossava un vestito turchese. Sembrava fosse stata gonfiata con una pompa per biciclette, ma forse mangiava solo troppi gelati, pensò Tina.

– È la nuova serva, – annunciò la prima bambina con noncuranza.

– Fammela vedere un po'! – disse l'altra, girando attorno a Tina per farle la radiografia. – Voi della montagna siete belle grosse, eh?

«Senti chi parla» pensò Tina. Ma non lo disse, perché la mamma le aveva insegnato bene a «stare sotto».

In quel momento arrivò una donna dall'aria malaticcia con un bambino piccolo in braccio. Lei aveva circa trent'anni, con i capelli biondi acconciati in un modo che Tina non aveva mai visto e un completo color crema. Tina notò con curiosità che non portava la gonna, bensí un paio di pantaloni dalle gambe larghissime.

– Clementina, giusto? – disse sbrigativamente la donna, con un sorriso di circostanza. – Io sono Irma, piacere di conoscerti. Tieni, prendilo un po' tu, adesso. Pesa un quintale!

La donna le piazzò in braccio il bambino, che era sudaticcio e caldo come un forno. Tina non aveva ancora posato la valigia, quindi ebbe il suo bel daffare a restare dritta.

– Dove mi posso sistemare? – domandò, sbirciando il corridoio che si inoltrava nella casa, mentre il piccolo le schiaffava una mano appiccicaticcia sul collo.

– Non c'è una camera per te, se è questo che vuoi sapere, – intervenne la bambina bionda. – Non sei mica in albergo! Dormirai lí.

Con un dito cicciotto indicò un piccolo antro accanto alla porta d'ingresso, dove spuntava un divanetto di legno con l'imbottitura a righe che sembrava uscito dalla notte dei tempi.

Tina riuscí solo a dire: – Ah.

– E il bagno per la servitú, cioè il tuo, è fuori, in cortile. Vacci prima di coricarti perché alla sera chiudiamo la casa e non è piú possibile entrare o uscire fino al mattino.

In quel momento il bambino scoppiò in un pianto disperato, unghiando le spalle di Tina con tanta foga che invece di due mani sembrava averne venti.

I padroni comandano e tu obbedisci, i padroni comandano e tu obbedisci si ripeté Tina come un mantra, ricordando le raccomandazioni della madre.

Nonostante il lungo viaggio, le consegnarono un grembiule vecchio e stropicciato e la misero subito al lavoro.

Il bambino si chiamava Cesare ma in famiglia tutti, tranne Tina, lo chiamavano Cesi. Le due sorelle erano invece Giusi e Maria. E avevano sempre voglia di stuzzicare la nuova arrivata.

– Serva! Mettiti a quattro zampe, ti voglio cavalcare! – le disse un giorno Maria, quella con la frangia.

– Lasciami stare, ho da fare, – rispose Tina, che stava sparecchiando la tavola del pranzo.

41

– Ho detto che ti voglio cavalcare! – insistette la bambina, che poi le afferrò le trecce e le tirò fino a farla cadere. – Adesso stai giú! Vieni, Giusi, vieni anche tu!

L'altra accorse con grande entusiasmo.

– Eccomi! Prendo una cannetta per frustare questo cavallo selvaggio!

Insieme si sedettero su Tina, che tentava invano di ribellarsi. Contro una sola non avrebbe avuto nessuna difficoltà, ma il peso delle due sorelle era troppo anche per una ragazza forte come lei.

– Che succede qui? – proruppe la signora apparendo sulla porta. Aveva sempre l'aria di chi ha un terribile mal di testa. Sempre.

– Tina, smetti di giocare per favore, – disse, cercando un bicchiere d'acqua per prendere una pastiglia. – Lascia stare le ragazze e finisci di sparecchiare.

Le sorelle si sedettero su un divanetto con un ghigno beffardo, e Tina si rialzò cercando di sistemarsi il vestito e il grembiule.

I padroni comandano e tu obbedisci.

– Non mi piace vederti giocare in orario di lavoro. Per questa volta passi, ma la prossima... intesi?

– Sí, signora.

– Ora aiutami a prepararmi per il mare, – disse buttandosi sul divano. – Da sola non ce la faccio.

A Tina scappò da ridere e la donna si accigliò.

– Che c'è? Ti sembro buffa?

– No, è che pensavo a mia mamma. Lei ha allevato otto figli da sola perché mio papà era in Germania per lavorare. Sempre in piedi, dall'alba al tramonto, e spesso anche dopo, e non l'ho mai sentita dire una sola volta «non ce la faccio».

La donna si rabbuiò.

– Ragazze, andate a prendere le vostre cose. Andiamo in spiaggia. Ah, Tina, Cesi sta dormendo, – aggiunse la signora.

– Non fare troppo rumore con le pulizie. Sai che quando si sveglia non la smette piú di piangere.

– Sí, signora.

Uscendo di casa, Giusi la salutò con un sorriso malizioso e poi sbatté la porta d'ingresso piú forte che poté.

In quel momento Cesi aprí gli occhi.

I padroni comandano e tu, porca di quella vacca, obbedisci.

Noi siam corrente elettrica
corrente molto forte
chi tocca Mussolini, pericolo di morte!

Canzoncina fascista

Palazzo Balbi era illuminato a giorno. L'antica facciata dell'e-
dificio bianco sembrava un volto con i baffi all'ingiú e la
lingua in fuori: i baffi erano due bracieri crepitanti ai lati
dell'ingresso, mentre la lingua era una striscia di tappeto
rosso lunga e vellutata. Dalle finestre filtrava la luce intensa
delle sale interne e l'acqua del Canal Grande di Venezia brillava come un sacchetto di diamanti.

Era la dimostrazione che la luce trionfa sulle tenebre, messaggio azzeccato per la sede principale della SADE, la Società
Adriatica di Elettricità.

Piccole gondole color inchiostro andavano e venivano, bal-
lando sulle onde, per trasportare gli invitati alla festa piú
ambita ed esclusiva di Venezia. Sul pontile davanti al palazzo
erano appena sbarcate due persone.

– Giorgio, per cortesia, mi controlla il nodo? – domandò l'ingegner Carlo Semenza mentre, con mani tremanti, cercava di
aggiustarsi la cravatta.

– A me sembra a posto, – rispose il professore osservando la simmetria e la prominenza. – Bello quest'abito. È nuovo?

– Sfido io, è di Trapanelli!

– Ah, complimenti. Le sarà costato uno stipendio.

– Uno e mezzo. Ma questi sono investimenti per il futuro! Mi darebbe una ricontrollatina?

– A me sembra a posto, ma se vuole posso controllare con un righello.

– Non faccia tanto lo spiritoso! Lei è un luminare, caro Giorgio, un professore universitario. Da lei non mi aspetto queste uscite sarcastiche.

– Capisco, capisco, – disse Dal Piaz, che stava pensando a ben altro. – Dica, ingegnere, stasera ci sarà anche Lui?

– Lui chi?

Dal Piaz guardò il cielo per un attimo. – Lui.

– Ma chi, Gesú?

– Ma no! Il Duce!

– *Ssst!* Giorgio, non si faccia sentire! Cosí sembriamo due provincialotti.

– Ma insomma, ci sarà o no?

– Non glielo so dire. So che è un amico del conte e stasera ci saranno tante persone importanti...

– Allora dobbiamo fare bella figura. Faccia un po' vedere quel nodo...

La sala piú grande era stata adibita a salone dei ricevimenti. Un pianista suonava discretamente una melodia in sordina, mentre quattro grossi lampadari di cristallo sfolgoravano tra gli stucchi e gli affreschi abbagliando i presenti. Ogni invitato aveva appuntato alla giacca o all'abito una spilla dorata che gli era stata consegnata all'ingresso: una vespa di dimensioni naturali fastidiosamente realistica. Un piccolo dono della Società.

Alcuni camerieri, tra cui una ragazza molto giovane, correvano avanti e indietro per servire spumante e tartine. Dal Piaz diede una gomitata al compagno. – Ha visto, ingegnere? C'è l'ambasciatore con sua moglie, e anche il ministro.

– Siamo appena entrati e di ministri ne ho già visti tre. A quale si riferisce?

– Non fa niente. Andiamo a farci vedere.

I due uomini si addentrarono nella folla della migliore società italiana al grido di «Carissimo! Esimio!», dispensando amabili sorrisi, cerimoniose strette di mano e vacue battute a cui tutti ridevano per obbligo.

A un tratto Semenza si sentí artigliare il braccio con una forza sproporzionata.

– Dighe anche stasera? – domandò una signora molto voluminosa. Aveva una pappagorgia molle e poderosa, con i rivoli di grasso che soffocavano la collana di diamanti. – Quando ci parlerà di qualcosa di piú originale?

Semenza si sforzò di imbastire un sorriso.

– Ho dedicato la mia vita alle dighe, signora. Dighe e alpinismo. Ma non deve pensare che siano argomenti noiosi. Sulle montagne accadono di quelle cose...

– Ma non mi dica! – disse l'altra, ridendo abbastanza forte da farsi sentire per tutto il Canal Grande. – Lei è un bel tipo, sa?

Dal Piaz, invece, aveva trovato alcuni suoi colleghi dell'università e stava rivangando i bei tempi andati, quando tutti erano ancora studenti e uno di loro aveva nascosto una rana viva nel cassetto del Magnifico Rettore.

Poi entrò la vera star della serata e l'intera sala ammutolí, scoppiando poco dopo in un fragoroso applauso.

Giuseppe Volpi, conte di Misurata, aveva un volto espressivo da attore consumato. Si tolse il cappotto con il colletto di pelliccia e lo consegnò a uno dei camerieri, posandovi sopra il bastone laccato di nero e il cappello a cilindro.

Poi, a braccia allargate e con un volto sornione, si diresse verso i suoi ospiti per i saluti di rito.

Tutto, infatti, si svolgeva secondo copione. Le feste di quel tipo erano sempre uguali, tutti si comportavano sempre nella stessa maniera e nessuna stravaganza era mai tentata o concessa.

Passando accanto a loro, il conte strizzò un occhio a Semenza e a Dal Piaz.

– Conto su di voi, – bisbigliò di sfuggita, mentre stringeva l'ennesima mano.

Infine i camerieri portarono una piccola pedana rossa e il conte ci salí sopra. Ora sovrastava tutti.

– Carissimi, – declamò, mentre la folla si stringeva a semicerchio attorno a lui. – Vi ringrazio per essere venuti. Mi scalda il cuore vedere tutti questi amici riuniti nella mia casa.

Ci furono sporadiche alzate di calici e un timido applauso che subito il conte smorzò.

– Spero abbiate gradito il nostro piccolo dono. La vespa è un simbolo di forza e determinazione. Essa punge il ragno, paralizzandolo, e vi depone sopra le sue larve. Non si ferma davanti a niente pur di garantire la sopravvivenza della sua specie. Nella Rhodesia del Nord la chiamano Signora del Fuoco, poiché è lei che, come Prometeo, ha donato le fiamme agli uomini.

Seguí un breve silenzio impressionato.

– Noi, – riprese il conte, – come SADE, portiamo il fuoco agli uomini. La nostra è una missione sacra, che ha a che fare con le origini dell'umanità e con la sua evoluzione!

Grandi applausi, questa volta lasciati correre. Il conte assunse un'aria di grande modestia.

– Sapete che sono un uomo che si è fatto da solo. Mio padre, buonanima, non mi ha lasciato granché, infatti ho dovuto abbandonare l'università per mancanza di fondi. In compenso egli mi ha donato qualcosa di molto prezioso. Un consiglio. I sogni non costano niente, diceva, per cui sogna in grande, piú grande che puoi. E io, da bravo figliolo, l'ho ascoltato. Sono entrato nel mondo degli affari come un impiegato, ma ho sempre dato il massimo, ho sempre lavorato sodo. Ci sono voluti anni, e infine i risultati sono arrivati. Porti, tabacco, miniere... i miei interessi sono arrivati dovunque. Ho fatto il ministro, il governatore di una colonia, perfino l'ambasciatore in Turchia, con cui eravamo in guerra, e ho ottenuto la pace. Sogna in grande, diceva papà, e io sognavo.

Gli ospiti della SADE ascoltavano rapiti. Il conte era un uomo astuto e potente, che sapeva piegare le folle come il vento piega le querce.

– Ma c'è una cosa che non ho mai osato sognare, – soggiunse.

A quel punto, la cameriera piú giovane inciampò in uno spesso tappeto e rovesciò sul pavimento i piatti d'argento delle tartine, fortunatamente vuoti. Il chiasso fece sobbalzare tutti e sul viso del conte apparve per un istante una smorfia di fastidio. Gli altri camerieri accorsero per aiutare la ragazza che, rossa in volto, si scusava ripetutamente.

– C'è una cosa che non ho mai osato sognare, dicevo. Qualcosa di troppo grande perfino per i miei piú ambiziosi desideri di ragazzo. Ed è la ragione per cui siamo tutti qui, ansiosi di diventare piú ricchi di quanto siamo... ammettiamolo!

Risate vigorose.

– Ma non sono io la persona piú indicata per presentarvi questo progetto. Lascio quindi la parola al nostro giovane (ma abilissimo) ingegner Carlo Semenza. Vieni pure, Carlo. A te la parola.

Seguí un nuovo applauso e non era chiaro se il pubblico applaudisse il conte, l'ingegnere o la prospettiva di fare quattrini. Carlo, comunque, non ci pensava. Si rovinò il nodo della cravatta con un gesto nervoso, deglutí rumorosamente, poi salí sulla pedana e attaccò il suo discorso.

– Sí, ehm. Buonasera! Giungo qui al termine di un lungo viaggio di ricerche. Abbiamo percorso il Veneto in lungo e in largo. Abbiamo scavato la terra, grattato le rocce, misurato la capacità e i confini dei fiumi. Come sapete, in Italia l'oro nero scarseggia! E tuttavia noi abbiamo trovato qualcosa di altrettanto prezioso: l'*oro bianco*.

Fece una pausa significativa... ma si accorse che nessuno ne aveva colto il significato.

– Parlo dell'acqua, cari signori! – spiegò dunque, tutto infervorato. – Il torrente di montagna che sgorga dai puri ghiacciai d'alta quota e scivola sulle rocce fino a raggiungere il nostro bel mare.

Mentre Semenza parlava al pubblico, il conte si avvicinò al caposala e gli parlò a bassa voce.

– Mandi via quella cameriera incapace. Non è serata per le sfarfalline.

– La scusi, eccellenza, la ragazza è molto agitata, sa... tutti questi personaggi importanti!

– Non ha capito. La deve mandare via. Licenziare. Nessuno interrompe il conte che parla. E niente paga per stasera.

– Ma, eccellenza, c'è sua madre in fin di vita...

Al conte scappò da ridere.

– La madre malata, ma sicuro! E fratelli moribondi non ne abbiamo? Non mi sa trovare niente di piú originale? Comunque veda lei, la conosco come una persona assennata e attenta ai suoi interessi. Si ricordi che ci sono molti suoi concorrenti, a Venezia. Ci siamo capiti?

– Certo, eccellenza, è stato chiarissimo. Ehm. Provvedo subito, eccellenza.

Ignaro di tutto, Carlo Semenza continuava la sua presentazione.

– L'Italia sta passando da un'economia agricola a una industriale, e l'industria ha bisogno di energia. La *gente* ha bisogno di energia. E noi dobbiamo vendergliela. Dunque, come procurarcela?

Fece una nuova pausa a effetto. Aveva recitato il discorso molte volte, nel suo studio al piano di sopra; ma mai davanti a tanta gente che lo fissava con avidità.

– I fiumi, ecco come. L'acqua in alta quota nasconde una grande energia potenziale. Non si vede, ma c'è. E noi, costruendo i necessari impianti, possiamo trasformare questa energia potenziale in energia elettrica, accendere le luci e le radio nelle case, i trapani e le presse nelle industrie. Noi lo possiamo fare! Anzi, lo facciamo già.

A quel punto il conte applaudí e tutti lo seguirono fedelmente.

– Purtroppo la generazione idroelettrica ha un difetto. D'estate, quando non piove piú, i torrenti si asciugano. Niente acqua significa niente energia.

– E cioè niente soldi, – aggiunse il conte scatenando l'ilarità generale.

– Ma noi abbiamo la soluzione! – si affrettò ad aggiungere Semenza. – Abbiamo progettato una rete di tubi e cunicoli che raccolgono le acque del corso medio del Piave e dei suoi affluenti, il Boite, il Maè e il Vajont, ciascuno regolato da un serbatoio indipendente, vale a dire una diga. E la chiave di tutto è proprio la valle del Vajont, particolarmente capiente, che raccoglierà le acque degli altri bacini diventando un enorme serbatoio. Grazie a questo progetto potremo avere acqua tutto l'anno, e quindi vendere energia anche quando c'è siccità. Abbiamo battezzato questo progetto...

– Il Grande Vajont! – concluse il conte intromettendosi nel discorso e balzando sulla pedana, di fatto spingendo via l'ingegnere.

– Avete capito bene? Non resteremo mai all'asciutto. Di denaro, s'intende!

– E chi ci mette i soldi? – chiese un signore azzimato che brandiva un bicchiere di champagne colmo fino all'orlo.

– E bravo il signor sottosegretario! – esclamò Volpi. – Lei mi dà modo di non essere modesto. La nazione ha bisogno di energia. È interesse pubblico, capite? È il progresso. E allora, da ministro, ho fatto una bella legge che permette il finanziamento a fondo perduto degli impianti idroelettrici.

Il pubblico rimase in silenzio. Non avevano capito.

– Significa che piú della metà dei soldi ce li mette lo Stato! Lo pagheranno i cittadini con le loro tasse, ma la proprietà resta della SADE. Capita l'astuzia?

L'ovazione scoppiò spontanea e fragorosa. Un pugno di investitori accerchiò il conte per chiedere come fare per finanziare il Grande Vajont, mentre ai tavoli si brindava con fiumi di bollicine.

– Quando si è ricchi è facile fare soldi, – si bisbigliavano l'un l'altro compiaciuti.

Poco piú in là, lontano dagli occhi di tutti, una giovane cameriera in difficoltà scendeva di corsa le scale per uscire dal palazzo. Piangeva, ma nessuno se ne accorse.

– Morditi le labbra, se serve, – aveva detto mamma Merlin.
– Ti verranno in bocca molte parole per i padroni. Alcune
saranno roventi come palle di fuoco o pesanti come incudini.
Morditi le labbra e non lasciarle uscire, mai.
Sembrava che potesse vedere il futuro, la mamma. Aveva previsto tutto. Le umiliazioni continue, le vessazioni, la mancanza di libertà.
Ubbidire e tacere.
Sí, perché una cosa che Tina non aveva previsto era la totale
e assoluta mancanza di libertà e intimità. Non la lasciavano
uscire da sola, con la scusa dei pericoli della strada, dimenti-
cando che aveva attraversato mezza Italia in treno.
Non poteva neanche dormire da sola, perché era nell'atrio
sotto gli occhi di chiunque vi passasse. Anzi, essendo accanto
alla porta d'ingresso capitava spesso che la signora rientrasse a
tarda sera, dopo una cena sul mare, svegliandola e lanciandole
qualche frecciatina.
Non poteva fare nulla di nascosto, neanche piangere.
Lavorava senza sosta, fino a non sentire piú le mani e i piedi.
E veniva trattata poco meglio di un mulo da soma.
Aveva tredici anni, e affrontava le difficoltà con coraggio,
ma aveva capito una cosa fondamentale: che tutti gli esseri

umani avevano diritto a una vita dignitosa, e che nessuno aveva mai voglia di ricordarsene.

Aveva capito, anche, che i suoi padroni si sentivano superiori. Per loro i servi erano poco piú che oggetti utili quanto un orologio o un'automobile. Un servo doveva essere brutto, sporco e ignorante. Un padrone era bello, bravo e giusto in ogni cosa.

A loro non veniva neanche in mente che una persona di servizio fosse lí per lavorare, che lo facesse per denaro. Per loro era una condizione esistenziale, come se l'essere servi fosse inciso per sempre nel sangue di una persona.

Tina aveva una sorella che viveva a Milano e ogni tanto le spediva vecchi libri che trovava sulle bancarelle. Forse per incoraggiarla, forse per farla sentire meno sola, le aveva mandato una copia di Oliver Twist, di Charles Dickens.

Oliver era un orfano che faceva una vita miserabile e a cui capitavano cose tremende. Veniva picchiato, umiliato, accusato di crimini non commessi, rapito... e tutto cominciava perché aveva chiesto un cucchiaio in piú di minestra dopo mesi di digiuno.

Era un bel libro, e se la giornata era buona, Tina riusciva a leggerne un paio di pagine prima che la stanchezza le rubasse gli occhi.

Un giorno particolarmente buono la signora era andata in gita con le figlie, e per una volta si era portata dietro anche Cesi.

La casa era tutta per Tina.

Ovviamente l'avevano chiusa dentro, perché «dopo una certa ora, in giro si vedono di quelle facce!».

Tina sbrigò le faccende piú in fretta che poté, poi si piazzò sul divano con il lume a petrolio regolato al massimo della luce (cosa a lei proibita dalle leggi della casa) e cominciò a leggere. Le mancavano una decina di pagine ed era ben decisa a finire il libro, quando sentí la chiave girare nella toppa.

Prima ancora che potesse rimettersi in piedi, Maria e Giusi le furono addosso.

– Che fai, Tina! – gridò Maria prendendola per un braccio per buttarla a terra. – Sei sul *nostro* divano!

– Cosí lo sporchi! – aggiunse Giusi prendendola per l'altro braccio e facendole cadere il libro. – Lurida che non sei altro!

– Lasciatemi stare!

Tina reagí spingendole via e Maria cadde sul libro.

– Stupida gallina! – gridò la sorella tornando alla carica.

– E questo cos'è? – esclamò l'altra, raddrizzando il libro e rigirandoselo tra le mani come se non avesse mai visto niente del genere in vita sua.

– Ridammelo, è mio!

– Tuo? Figuriamoci! Tu non hai niente! Devi averlo rubato in casa nostra. Ladra! Ladra!

Poi lo aprí e cominciò a strappare le pagine scagliandole per aria.

– Questa è la giusta punizione per chi ruba. Giusi, tienila ferma mentre eseguo la sentenza!

– Ladra! Ladra! – gridava Giusi nelle orecchie di Tina.

Tina perse il controllo. Diede una gomitata nello sterno a Giusi e questa si sgonfiò piegandosi in due. Quando strappò il libro dalle mani di Maria, decine di pagine erano già sparse sul pavimento.

Maria le sputò addosso e la colpí alla spalla sinistra. Tina fu colta alla sprovvista. Ne aveva viste di gazzarre, ma era la prima volta che le sputavano addosso. Rapida come uno stambecco, rifilò a Maria un sonoro ceffone che le stampò quattro dita ben disegnate in rosso sulla guancia.

– Cos'è questo baccano? – esclamò la signora entrando con il piccolo in braccio. – Fate silenzio, ho mal di t...

Si trovò davanti un macello. Tina, paonazza e scarmigliata, aveva ancora lo sputo che le colava sul vestito. Maria era a terra in mezzo a un mare di carta e si copriva il volto con le mani. Giusi era bocconi e ansimava come un asino.

– Co... cosa è successo qui dentro?!

– Mi ha dato uno schiaffo, – piagnucolò Maria.

– E a me una gomitata, – aggiunse Giusi singhiozzando debolmente.

Tina sentí ribollire un fuoco liquido che le correva nelle vene e nella testa.

I padroni comandano e...

– Hai colpito le mie figlie?!? Come hai OSATO?

Morditi le labbra e...

– NON ME LE VOGLIO PIÚ MORDERE, LE LABBRA! – esplose Tina sotto gli occhi esterrefatti della signora. – Quel libro è mio, e le sue figlie me lo hanno tutto strappato! Nessuno vi insegna l'educazione, a voi signori?

Madre e figlie rimasero pietrificate.

– Solo perché pagate una domestica, credete di poterla trattare come una bestia? – continuò Tina, ormai un fiume in piena. – Io sono povera, ma almeno lavoro e tratto gli altri con rispetto! Voi invece cosa fate tutto il giorno? Feste e champagne? E del povero Oliver cosa mi dite?

La signora sbirciò le figlie con aria interrogativa. «Oliver?»
Le bambine scossero la testa allibite.

– Lo picchiavano solo perché era un povero orfano! È cosí
che si comportano le persone perbene? Dovreste vergognarvi
tutti quanti, voi padroni! Che poi, padroni di cosa... di figli
sgarbati che non sanno neanche leggere!

La signora la prese per un polso e lo strinse fino all'osso.

– Da domani si cambia aria qui, – disse. – Altro che divanetto e tutte le confortevolezze. Un pasto al giorno, quando
lo dico io, bocca chiusa e niente paga per due mesi! Voglio
vedere se poi hai ancora voglia di fare la rivoluzione!

Tina si bloccò. Aveva tanto bisogno di denaro da mandare
alla mamma, ed era stata capace di perderlo. Svuotata dalla
rabbia di poco prima, si sentiva leggera, senza peso.

– Ho bisogno delle chiavi del bagno, per favore, – domandò
con un tono tutto nuovo, calmo e deciso come quello di una
maestra.

Le due bambine scoppiarono a ridere.

– Pure!

– E ci manca questo!

Ma la madre, a sorpresa, le zittí. Forse le parole di Tina l'a-
vevano colpita nel vivo, o forse era solo sfinita dalle malattie
nervose dei ricchi. Fatto sta che prese le chiavi dallo stipetto
e le porse a Tina senza dire be'.

– Ma fai presto, – aggiunse, poco convinta.

E cosí Tina, arruffata come una tigre dopo la lotta, se ne andò
a lavarsi al bagno dei signori, strofinandosi bene con il sapone
di lavanda, e quando si guardò allo specchio le sembrò di essere diversa e nuova.

Quella sera si rintanò dietro il divanetto e rimase cosí, immobile, a pensare.

La sua casa sulla Marteniga... la roccia dove andava quando voleva stare un po' da sola. Non era molto piú grande di quel divanetto, ma che differenza!

Le venne in mente quando aveva rotto la bottiglia dell'olio e la mamma si era infuriata. L'aveva sbattuta a terra con un ceffone e poi l'aveva presa a calci con gli zoccoli. Gridava e picchiava e sembrava non smettere mai. Povera mamma, esasperata dalle sue debite, sempre a fare i conti con la povertà. Mai un po' di respiro, mai una ribellione. La mamma non poteva scappare dalla sua vita.

Poi si ricordò di suo padre e di quando, qualche anno prima, aveva portato a casa un misterioso involto.

Aveva chiamato Pina, la sorella maggiore, e se l'era messa sulle ginocchia.

– Guarda cosa ti ho portato, – diceva l'uomo, e intanto toglieva un giro di carta dell'involto.

– Cos'è, cos'è? – chiedeva Pina.

– Tu cosa pensi? – diceva papà, e toglieva un altro giro di carta.

Alla fine la carta venne via tutta e dentro c'era una bambola. A ripensarci, Tina si sentiva stringere ancora lo stomaco. Come aveva invidiato quella bambola! A lei non ne avevano mai regalata una, mai! E la sorella, dopo i primi giorni, non ci giocava neanche piú tanto. Però Tina non la poteva toccare.

La sorella maggiore, che ogni tanto sveniva e doveva stare sdraiata tutto il giorno... lei dalla vita era già scappata da piccola.

Perché esisteva l'ingiustizia al mondo? Perché non si poteva fare a metà con tutto quello che c'era, che fosse una bambola o un mucchio di soldi? Era cosí difficile? Perché chi aveva tanto non faceva mai un piffero, mentre chi aveva poco si spaccava la schiena? Che senso aveva?

Chi aveva deciso che dovevano esserci i servi e i padroni?

Annegata nelle lacrime e nei pensieri, Tina attese la notte senza muovere un muscolo, accucciata lí come un randagio.

E quando finalmente la casa sprofondò nel buio e nel silenzio, Tina si alzò in piedi. Andò fino all'armadio delle scope, prese la sua valigiona di cartone e ci cacciò dentro tutte le sue cose, compreso quel che rimaneva del povero *Oliver Twist*. Contò i soldi che teneva in un borsellino di stoffa e controllò che ci fossero tutti.

E visto che la porta era chiusa a prova di Arsenio Lupin, aprí la finestra e poi le persiane.

Con cautela, certo, perché i cardini cigolavano come il cancello di un cimitero.

– Ti prego, aiutami, – implorò Tina con un filo di voce.

– Lasciami andare!

E la finestra cedette con un ultimo, leggerissimo, impercettibile *clic*.

– Grazie, – le sussurrò Tina. Poi calò la valigia nell'aiuola dei ciclamini e scavalcò il davanzale, andando incontro alla libertà.

La casa sulla Marteniga era rimasta sempre la stessa, ma Tina si sentiva due persone diverse.

Una parte di lei era ancora la ragazzina che aveva pianto per la bocciatura, con Trichiana che rappresentava il mondo intero e un destino identico a quello di sua mamma: sposarsi, fare figli e tirare avanti meglio possibile.

L'altra era quella che aveva scavalcato la finestra e affrontato la notte nera pur di riconquistare la libertà, una piccola donna che sapeva ciò che voleva e non aveva piú paura di chiederlo, e che aveva trascorso gli ultimi anni a passare da una casa all'altra, da un padrone all'altro, arrivando fino a Milano e guadagnandosi un trattamento sempre piú dignitoso.

Erano dunque due Tine quelle che, con la valigia in mano, avevano attraversato la stradina di sassi e ghiaia che dalla comunale portava alla casa di famiglia. E sempre due Tine osservarono la casa di pietra, la stalla, il frutteto. Casa.

Adesso, però, c'era la guerra.

«La guerra va avanti invece che indietro» le aveva scritto mamma Merlin, e Tina, che allora era a servizio a Milano, aveva capito perfettamente.

Della guerra non si sapeva granché. La raccontavano i bisbigli della servitú, che come barelle da campo portavano notizie moribonde da chi aveva una radio a chi non la possedeva. A volte qualcuno montava gli altoparlanti nelle piazze e le casse gracchianti trasmettevano i discorsi di Mussolini, secondo il quale tutto andava bene e l'Italia era la piú forte del mondo. Ma l'Italia dei fascisti non somigliava all'Italia della povera gente.

C'era il razionamento e trovare da mangiare era sempre piú difficile. Molti uomini erano partiti per il servizio militare ed erano stati spediti nei luoghi piú remoti, a combattere una guerra di cui non sapevano nulla, men che meno il perché.

E c'era la paura dei bombardamenti, le sirene, il fischio delle bombe, le esplosioni e le colonne di fumo che salivano da lontano.

E poi, le notizie dei morti.

Anche i due fratelli di Tina erano diventati soldati. Toni, che si impegnava al massimo in tutto ciò che faceva, le aveva appena mandato una foto da Tarquinia, dove frequentava un corso da paracadutista della Folgore. Quando Tina lo vide, con il berretto sull'orecchio e la giacca con le stelle, pensò che non c'era da preoccuparsi perché Toni era invincibile, e lo mettevano anche sulle cartoline da quant'era bello e coraggioso.

L'altro fratello, Remo, piú vecchio ma piú fragile, era diventato artigliere della brigata Julia ed era partito per combattere in Russia.

Ed era per questo che adesso Tina tornava a casa. Mamma Merlin non aveva piú nessuno lí con lei.

E finalmente eccola, con il suo vestito celeste di lanetta autarchica, le scarpe basse e la camicetta azzurrina. Il suo primo vestito nuovo, costato mille sacrifici.

– Buongiorno, signorina!

Il saluto la fece trasalire, riportandola alla realtà. L'aveva salutata l'uomo piú atteso di tutto il paese: il postino Bassani, che correva tutto il giorno con la sua bicicletta scassata e il borsone giallo e sformato sempre a tracolla.

– Cerca qualcuno? – domandò avvicinandosi. Poi si affrettò a sfilarsi il berretto. – Oh, ma sei mica la Clementina! Come sei cresciuta! E come ti sei fatta bella!

Tina arrossí. Non riusciva ad abituarsi ai complimenti che gli uomini le rivolgevano sempre piú spesso.

– Come sta, signor Bassani?

– Eh, come sto. Ti direi bene, perché la salute c'è, ma non so se posso dire bene.

– Come mai, cosa le succede?

– Quella lí è una domanda facile da fare, ma difficile da rispondere. Hai già saputo dei tuoi cugini?

Tina sapeva. La guerra è fatta per uccidere, e si uccideva e si moriva. Il cugino Albino era morto in Albania, Silvio era rimasto sotto le bombe in Russia, Marino era disperso sul fronte croato. E poi c'era Nello, che era morto un po' di anni prima in Abissinia e che quindi forse non contava, ma come fai a dimenticare?

– Purtroppo sí, – rispose Tina con un sospiro. – Purtroppo sí.

– Ecco. E fai caso in paese, con tutte le donne che hanno figli o mariti che son partiti con il fucile e che non sanno niente di cosa accade laggiú. Spesso non sanno neanche dov'è, laggiú.

– Sí, anche a Milano era cosí.

– Perfetto, allora capirai subito come mi posso sentire io che sono quello che porta le notizie. A volte sono lettere buone e va tutto bene. *Mamma, qui si sta bene, c'è anche la polenta.*

Manca solo il vino. Me l'ha letta una signora con le lacrime agli occhi. Quanto l'aveva aspettata! Ma a volte sono le comunicazioni ufficiali dell'esercito che parlano di morti e dispersi. Le vedo subito, sai? Quando me le danno al mattino, quelle buste tutte uguali, con il colore della pelle del morto. Mi dirai che sono un sentimentale, ma mi sembra che siano piú pesanti delle altre, e quando pedalo in salita faccio piú fatica. A volte non ci dormo la notte. Cerco di passare tutti i giorni alla stessa ora, cosí non devono restare con l'angoscia di un appuntamento mai fissato. Quando mi vedono arrivare corrono sull'uscio con il cuore che batte come un cavallo e gli occhi stanchi ma pieni di speranze. E io già so tutto. Dove lo trovo il coraggio, come faccio a mettere quelle cartacce nelle mani delle donne? Proprio a loro, che preferirebbero morire.

A quella confessione non c'era modo di rispondere, cosí i due restarono in silenzio sulla stradina condividendo un dolore che si era diffuso in tutta la nazione come una pestilenza. Solo un pettirosso cantava come se non avesse un pensiero al mondo.

– Be', si sta facendo tardi, – disse infine il postino Bassani inforcando la bici. – Almeno oggi non ci sono vedove. Lo puoi dire a tua mamma? Non ho lettere per lei.

Tina lo guardò pedalare via in direzione del paese, tutto storto come un cavicchio, con il suo carico di dolore a tracolla. Non lo sapeva ancora, ma presto Bassani sarebbe tornato.

[...]
Non sono mai stato
tanto
attaccato alla vita.

Giuseppe Ungaretti, *Veglia*

Era un mondo fatto di incertezze, di illusioni e tragiche realtà. Un tempo sospeso, durante il quale la guerra andava per conto suo e la povera gente non poteva farci un granché. Wilma, la piú cara amica di Tina, aveva organizzato un gruppo teatrale che si riuniva nel salone dell'asilo. Anche Tina partecipava. Era un modo per distrarsi, tenere la mente lontana dalla guerra e cercare un sorriso tra le lacrime.

Toni era tornato e partito di nuovo, questa volta per fare la Scuola d'Alpinismo a cui era stato assegnato il suo reparto. Era raggiante, come sempre quando poteva provare qualcosa di nuovo. E si fece onore anche lí, vincendo diverse gare di sci.

Ma poi il postino Bassani si era presentato a casa Merlin. Aveva consegnato la busta con gli occhi bassi e dopo era subito andato via.

Remo era disperso in Russia.

– C'è scritto *irreperibile*, lo vedete anche voi?

La madre lo aveva ripetuto almeno venti volte, con la voce via via sempre piú flebile. Si era seduta accanto al tavolo e vi aveva appoggiato la lettera dell'esercito come se avesse paura a toccarla piú del necessario.

– *Irreperibile* non è come *morto*, vero?

Il padre, invece, aveva preso la caffettiera e poi si era appoggiato al muro. Un uomo grande e grosso come lui, un montanaro che nella vita aveva fatto di tutto, dal muratore alla guardia forestale, un uomo che sembrava indistruttibile, si era appoggiato al muro ed era rimasto fermo lí.

Papà Merlin era intelligente. Non era istruito perché non aveva potuto studiare, ma amava leggere e lo faceva ogni sera con religiosa puntualità. Era facile indovinare i suoi pensieri: a che serve ammazzarsi di lavoro per fare una famiglia, allevare i figli per anni se poi te li portano via cosí? A che cosa è servito tutto quanto?

Morire è facile. Il difficile è per chi resta.

La caffettiera sembrava minuscola tra le sue mani corpulente e callose. Non la usavano da un sacco di tempo perché con la guerra il caffè vero era diventato rarissimo, e il caffè di cicoria non piaceva a nessuno. La teneva con delicatezza, come se fosse un uccellino.

Fu una primavera mite, quella del '43. A Santa Tecla la natura si era risvegliata con un verde vibrante e offriva i suoi primi frutti, incurante della devastazione che imperversava per il mondo.

Ida mandò un telegramma per avvisare che avrebbe passato l'estate a Santa Tecla. Voleva allontanarsi da Milano per paura dei bombardamenti, aveva già perso alcune amiche e di notte non riusciva a dormire per l'ansia.

Con Remo dato per disperso, le autorità italiane misero in congedo Toni, che tornò a casa libero da tutti gli impegni militari. Lo facevano per non privare le famiglie delle braccia necessarie per lavorare i campi.

Toni aveva subito trovato lavoro e passava in casa pochissimo tempo. Tornava la sera, mangiava in silenzio, poi usciva e stava fuori fino a tardi, a volte tutta la notte.

La madre era contenta di averlo vicino, almeno lui non lo avrebbe perso, e non chiedeva altro che di vederlo a tavola.

– Avrà qualche ragazza, – diceva guardandolo uscire. – L'età ce l'ha.

– Ma certo che ha qualche ragazza, – rispondeva papà sorridendo orgoglioso di quel ragazzo in gamba. – Dove vuoi che vada.

Non era una ragazza, o almeno non solo. Tina lo sentiva. Ma Toni non parlava, e lei rispettava il suo silenzio. La domenica, però, sapeva dove andava. Toni giocava a calcio e Tina non si perdeva una partita.

Guardando quei giovanotti in braghe di tela che inseguivano una palla avanti e indietro era facile dimenticare che l'Europa stava bruciando sotto le bombe e che, in quel momento, milioni di ebrei, omosessuali, dissidenti e prigionieri di guerra venivano deportati nei campi di concentramento.

Venne infine l'estate, e portò Ida con sé. Aveva così tanti bagagli che Tina dovette andare a prenderla in stazione con un carretto.

A casa ci furono i soliti abbracci di rito e poi Ida consegnò a tutti un regalo. Alla mamma regalò una scatola microscopica di zafferano, che in quel periodo valeva piú dell'oro. A papà e a Tina regalò un libro ciascuno: *Assassinio sull'Orient Express* di Agatha Christie e *Il conte di Montecristo* di Alexandre Dumas.

– Un giallo! – esclamò il signor Merlin. – Non ne vedo uno da... da...

Il fascismo, per qualche ragione, non approvava i romanzi gialli, soprattutto quelli inglesi, e per questo erano diventati difficili da reperire.

Tina abbracciò forte la sorella, che le regalava sempre grandi storie. Dopo *Oliver Twist* non aveva piú smesso di leggere, perché leggere la faceva sentire libera e nuova, capace di vivere tante vite. Le parole e le storie le davano un coraggio misterioso, e la sensazione di non essere sola mai.

– Questo ti piacerà di sicuro, – disse Ida. – Dimostra che con una volontà di ferro si possono compiere grandi imprese.

Poi appoggiò faticosamente un pacchetto sul tavolo. Era bene imbottito e legato stretto con uno spago.

– Cosa c'è lí dentro? Una lampada? – azzardò Tina.

– Fuochino.

Con una lentezza da far saltare i nervi, Ida slegò la corda e, cautamente, aprí il pacchetto.

Non era una lampada.

Era una scatola di legno scuro, lucido e ben levigato; forse un tantino consumato sugli angoli. Tutti aspettavano che Ida la aprisse per vederne il contenuto, invece Ida la voltò.

Era una Radio Marelli, con una reticella sul davanti, una finestrella di vetro piena di strane scritte come *Cairo, Stoccarda,*

Londra NAZ, e quattro funghetti per regolare il volume e scegliere il canale.

Seguí un momento di silenzio. Le radio erano sempre state molto costose. Durante la guerra, poi, erano diventate praticamente introvabili.

– Preferisco tenerla con me, – spiegò Ida. – Non mi fido a lasciarla in città. O me la rubano o me la bombardano. Ma ora che è qui possiamo sentire quella trasmissione... sapete quale, no?

Lo sapevano. Era già entrata nel mito.

Era una voce lontana che raccontava le notizie che le autorità fasciste volevano tenere nascoste. Si chiamava Radio Londra, e veniva ascoltata di nascosto, al buio, con le persiane ben chiuse e il volume al minimo. Magari con una coperta sulla testa per attutire i rumori.

I fascisti si annotavano i nomi di tutti coloro che acquistavano una radio, e poi si presentavano nelle case all'ora di Radio Londra per una perquisizione a sorpresa.

Ascoltarla era un reato e si rischiava di finire al confino, prigionieri in qualche isola sperduta. Ma questo non fermava nessuno.

– Va bene, – disse il papà con una faccia serissima, – ma deve restare un segreto. La mettiamo nell'altra stanza, che se viene qualcuno è meglio che non la veda.

– Dite che parleranno anche di Remo? – chiese la mamma.

– Non so, può darsi.

E da quella sera tutta la famiglia si riuní intorno alla radio per ascoltare la voce del Colonnello Buonasera, nome d'arte dell'ufficiale inglese che trasmetteva le verità proibite.

Era strano avere un segreto cosí. Sapere cose illegali senza poterle rivelare a nessuno. Quando Tina andava in paese e incontrava qualcuno per strada, che fosse contadino, artigiano, bottegaio o perfino il podestà, si domandava: «Ascolterà Radio Londra?» E aveva la sensazione che stesse accadendo qualcosa, che l'aria fosse tesa e nervosa. Ma non ne poteva parlare con nessuno e nessuno ne parlava con lei.

Alla fine di luglio la radio fece un annuncio sensazionale: Mussolini era stato arrestato e il partito fascista sciolto.

La notizia si diffuse in un lampo e la gente scese in strada a festeggiare e danzare. Si brindava nelle osterie e si malediceva il tiranno caduto in disgrazia. L'incubo era finito! La vita poteva tornare quella di prima!

I fascisti non si vedevano piú da nessuna parte. Stavano tappati in casa, con le persiane chiuse e la paura di vedersi presentare il conto dopo anni di angherie e vessazioni.

Tutti erano elettrizzati e non si chiedevano cosa sarebbe accaduto dopo. Addirittura la signora Merlin dimenticò le sue debite per qualche ora e tirò il collo all'oca per preparare una cena speciale.

Poi Toni tornò a casa e papà gli mise in mano un bicchiere di vinello che aveva nascosto chissà dove.

– Toni, hai sentito che notizia? – gli chiese Tina abbracciandolo. – È tutto finito!

Ma Toni era strano. Rigido. Se ne accorsero tutti.

– Che hai? – domandò il padre.

Toni portò una seggiola accanto alla radio, la accese delicatamente e poi si sedette aspettando che le valvole termoioniche si scaldassero a sufficienza.

La voce radiofonica aumentò gradualmente di volume fino a diventare ascoltabile. Trasmetteva un comunicato del generale Badoglio, che veniva ripetuto a oltranza come una cantilena.

– *La guerra continua*, – annunciò la voce gracchiante dal vecchio altoparlante. – *L'Italia duramente colpita nelle sue Provincie invase, nelle sue città distrutte, mantiene fede alla parola data, gelosa custode delle sue millenarie tradizioni.*

– Come? – sussultò la madre mentre papà Merlin si lasciava cadere in poltrona. – Che parola dobbiamo mantenere?

– Quella con i tedeschi.

– E perché mai? – sbottò la mamma. – Chi li vuole, quelli? Che tornino a casa loro.

– È proprio questo il punto, – le spiegò Toni, alzandosi e rimettendo a posto la sedia. – Sono a casa nostra e sono piú forti. Se li facciamo arrabbiare la guerra la fanno a noi, intendo a noi contadini. Siamo ostaggi. Tutti noi, i villaggi, le città... tutto. Siamo nelle mani dei tedeschi, capite? Anche se la guerra è finita.

In casa calò un clima di piombo. Un conto è quando le cose vanno male, e sei disperato e triste. Ma quando ti offrono un sogno, una speranza, e poi te la strappano dalle mani all'improvviso... è come essere scampati alle ruote di un camion per un soffio, e subito dopo cadere schiacciati da un treno merci.

Il governo italiano, riconosciuta la impossibilità di continuare la impari lotta contro la soverchiante potenza avversaria, nell'intento di risparmiare ulteriori e più gravi sciagure alla Nazione, ha chiesto un armistizio al generale Eisenhower, comandante in capo delle forze alleate anglo-americane. La richiesta è stata accolta.

Conseguentemente, ogni atto di ostilità contro le forze anglo-americane deve cessare da parte delle forze italiane in ogni luogo.

Esse però reagiranno ad eventuali attacchi da qualsiasi altra provenienza.

Proclama di Badoglio, capo del governo italiano
8 settembre 1943

– Ci siamo, – annunciò Toni l'8 settembre. – Da adesso in avanti cambierà tutto. In peggio.

– Ma che dici! – rispose la madre. – La guerra è finita, no? I nostri ragazzi torneranno a casa.

Toni annuí. – Sí, torneranno a casa. Quelli che ci riescono, perlomeno. Ora gli americani e gli inglesi sono gli amici. Ma i tedeschi non ci perdoneranno il tradimento. La guerra, per i nostri paesi e le nostre famiglie, comincia adesso.

La dimostrazione arrivò subito. Il cantiere dove lavorava Toni venne chiuso perché le truppe tedesche avevano occupato Belluno, Trento e Bolzano. Non era più Italia, la chiamavano *Operationszone Alpenvorland*. Praticamente era una provincia tedesca, sottoposta alla legge del Terzo Reich e a quella marziale. Le città erano state tappezzate di manifesti militari con la scritta *VERBOTEN!*, «vietato». Era vietato questo, era vietato quello, e chi infrangeva le regole veniva arrestato. A volte spariva del tutto.

La situazione era angosciante. Re Vittorio Emanuele III, che non era un cuor di leone, scappò nella notte portando con sé il generale Badoglio e tutta la truppa dei ministri e funzionari di governo. Codardi e vigliacchi, abbandonarono la nazione a se stessa, proprio loro che avevano il compito di proteggerla. I soldati italiani rimasero senza una guida e non sapevano piú che fare, a chi sparare. I tedeschi ne fecero un boccone, catturandone seicentomila e occupando di slancio due terzi del territorio italiano.

Il caos era assoluto, dirompente.

Un giorno Tina trovò un soldato inglese che si nascondeva tra i cespugli sulle rive della Marteniga e lo portò a casa. Lí venne accolto come un figlio, nutrito e nascosto.

– Sono scappato dopo l'8 settembre, – rivelò. – I tedeschi fanno rastrellamenti ovunque, continuamente, non sai mai quanto tempo ancora hai da vivere. Caricano tutti sui vagoni piombati e li portano chissà dove. Non voglio finire in un campo di concentramento! E proprio adesso che la guerra è finita!

Bevve un sorso d'acqua e Tina ne approfittò per fargli una domanda.

– Cosa farai? Vuoi tornare in Inghilterra?

Lui fece segno di no.

– Voglio andare in Iugoslavia. A combattere con i partigiani.

– I partigiani? – domandò Tina.

Ma il soldato non ebbe il tempo di spiegare, perché Toni era tornato a casa. Quando vide il soldato posò una mano sulla spalla di Tina, sussurrandole: – Brava. Brava, sorella mia. Ci sono ancora tanti soldati qui intorno, e se ne trovi altri mandali a casa del mugnaio. Lui saprà cosa fare.

Appena fu buio lo portò via e nessuno ne sentí piú parlare, ma poco tempo dopo Toni prese da parte la sorella e le chiese se voleva continuare a fare buone azioni come quella del soldato, perché c'era ancora tanto da fare, tanta gente in pericolo, e non solo.

Tina non capiva bene cosa stesse accadendo, ma certo non si sarebbe tirata indietro, perché anche se era giovane, lei pure aveva conosciuto le difficoltà e la sofferenza, e se qualcuno l'avesse aiutata, quando ne aveva bisogno, si sarebbe sentita meno perduta.

– Stasera ho bisogno di te, – disse Toni. – Ma potrebbe essere pericoloso. Te la senti?

Tina annuí.

– Portiamo via il frumento dall'ammasso prima che lo prendano i tedeschi. Tu devi stare sulla strada comunale e darci il via libera. Qualche sacco lo nasconderemo anche qui da noi. Hai capito bene?

– Sí, – rispose risolutamente la ragazza. – I nostri lo sanno?

– Sí, lo sanno.

Tina era sbigottita. Nessuno aveva parlato di quelle attività in casa, eppure tutti ne erano a conoscenza. Allora capí di essere appena entrata a far parte di un grande segreto.

Per ore e ore pensò a dove si sarebbe nascosta. Qual era il

posto migliore per vedere senza essere visti? Decise per un angolo cieco tra il muretto di un giardino e una grossa siepe. Trichiana dormiva il sonno solenne dei monti, abbandonata tra le braccia dell'oscurità.

Tina aspettò accovacciata per piú di un'ora. Dopo i primi cinque minuti le era già venuta voglia di fare pipí, ma era rimasta dov'era, non osava muovere un muscolo per paura di essere scoperta. E però no, la sua non era paura. Era piú un brivido elettrico che la faceva sentire viva.

Ma il tempo passava e cosí le venne il dubbio di aver capito male le indicazioni. Stava già per andarsene via, quando udí un cigolio in lontananza. Man mano che si faceva piú vicino, Tina poté distinguere il rumore delle ruote sulle pietre della strada, e i passi lenti e ritmici di chi tirava il carretto.

– Via libera, – sussurrò Tina quando il carro fu abbastanza vicino. Il ritmo dei passi si incrinò un istante; poi proseguí come prima. Il messaggio era stato ricevuto e lei non era stata vista, neanche dai compagni.

Il carretto andò e tornò diverse volte, e Tina restò in guardia per tutto il tempo. L'ultimo viaggio avvenne verso le quattro del mattino. Il carretto le passò piú vicino del solito.

– Abbiamo finito, vai a casa, – sibilò la voce di Toni. – Sei stata bravissima.

Tina sentí un pizzico in gola per la soddisfazione. Arrivò a casa senza problemi, ma non riuscí a chiudere occhio. Al mattino si presentarono alcuni ragazzi con un carro trainato da un cavallo e caricarono i sacchi.

– Dove li portate? – domandò Tina.

– In montagna.

La montagna. Sempre lei. Per la gente di quei posti la montagna era casa, sicurezza, protezione. Era tutto. La montagna.

Nello stesso momento, il ministero dei Lavori pubblici di Roma era quasi vuoto. Da quando il re era fuggito portandosi via il governo intero, i corridoi dei ministeri erano sgombri e silenziosi.

Gli unici ad avere ancora il senso della patria e dell'uniforme erano gli uscieri. Presidiavano gli ingressi giorno e notte, sperando di non venir presi a fucilate.

Quella notte, però, al terzo piano si teneva una strana riunione.

Tredici uomini ben vestiti sedevano a un lungo tavolo illuminato fiocamente da alcuni lumini a petrolio tenuti al minimo. Le tende erano ben chiuse, anche se di tanto in tanto uno degli uomini sbirciava fuori schiudendo un piccolo spiraglio. Anche le strade erano deserte. I tedeschi rastrellavano gli ebrei e nessuno osava mettere il naso fuori. Di quando in quando, una camionetta militare passava a tutta birra.

Tra i presenti spiccava l'ingegner Carlo Semenza. Si era seduto in disparte, nella penombra, con una cartellina sulle ginocchia e una missione nel cuore.

– Lasci stare quelle finestre e venga via! – intimò uno dei presenti. – C'è il coprifuoco, non lo sa? Se vedono le luci, ci sparano!

Il tizio vicino alla finestra sussultò come uno scolaretto sorpreso a rubare la merenda.

– Cosa stiamo aspettando? – disse, torcendosi le mani nervosamente. – Firmiamo queste carte e facciamola finita!

– Non possiamo, – replicò l'uomo a capotavola. Era piú anziano degli altri e aveva addosso quella certa autorità di chi è abituato a rivestire posizioni di potere. – Manca il numero legale.

– I timbri li avete trovati? – domandò un altro. – Molto di quel materiale è stato portato via... o distrutto.

– Abbiamo tutto, stia tranquillo. Manca solo la gente.

Il tizio alla finestra si lasciò cadere su una sedia, facendosi aria con il fazzoletto. – Sentite, firmiamo e facciamola finita, tanto è solo una formalità. Possono pagarci anche un milione, ma se ci fanno la pelle a che serve il denaro?

– Gli altri non verranno, – obiettò un altro. – Sono scappati. O forse hanno troppa paura di uscire in strada.

– Aspettiamo ancora Luca, – ribatté il presidente. – O Martino. Siamo tredici, porta male.

Lo disse con un sorriso, ma nessuno sorrise con lui.

– I documenti sono pronti? – domandò un tipo magrissimo che si rigirava una penna laccata tra le dita. – Magari potremmo firmare noi. E se poi gli altri arrivano, possono sempre aggiungere la firma in calce.

– Ha ragione, – intervenne un signore molto anziano con la vocetta da cartone animato. – Cosa stiamo qui a fare? Siamo bersagli!

Si levò un mormorio di approvazione. Nessuno aveva voglia di morire, quella sera.

– E va bene, – si rassegnò il presidente. – Dichiaro aperta la IV Sezione del Consiglio superiore dei Lavori pubblici, sessione speciale convocata per l'approvazione urgente del progetto Grande Vajont. Segretario, faccia l'appello e prenda nota dei presenti.

– Ma firmiamo e finiamola lí! – tornò alla carica il tizio alla finestra. – Che poi, cosa se ne fa Volpi dell'autorizzazione? Adesso ci stanno i tedeschi sul Vajont, mica può andare a costruire la diga!

– Il conte guarda lontano, – intervenne Semenza. E poiché fino a quel momento non aveva pronunciato una parola, fece trasalire tutti quanti. – Guerra o pace, lui vede comunque la possibilità di fare affari. Ma permettete che vi tranquillizzi: il conte Volpi di Misurata non vi abbandonerà! Lui e altri amici che, perdonatemi, per ragioni di riservatezza non posso nominare, stanno riorganizzando il partito fascista. Vogliono andare avanti senza Mussolini, capite? Vedrete, andrà meglio di prima.

– Peggio di sicuro non può andare, – borbottò il signore anziano. – Forza, firmiamo queste carte e andiamo a casa.

– Manca ancora il numero legale! – insistette il presidente. – Senza, la seduta non è valida.

Semenza osservò con cautela: – Se non è possibile fare altrimenti, il conte vi prega di approvarlo comunque. Ci sarà modo successivamente di ripristinare la legalità dell'atto, per vie... diciamo traverse.

– Ma infatti, a chi volete che importi?!

– Votiamo e andiamocene, qui si rischia grosso!

– Davvero, votiamo, ve ne prego. Ho due figli piccoli...

– D'accordo, d'accordo, ho capito! – sbottò infine il presidente. – Uff. Dunque, alzi la mano chi approva il progetto. Tredici mani svettarono rapide come frecce.

Il presidente sollevò un sopracciglio. – Ebbene, la IV Sezione del Consiglio superiore dei Lavori pubblici approva il progetto Grande Vajont. Segretario, faccia firmare tutti. Io per primo, grazie, che mia moglie mi aspetta per cena.

Carlo Semenza fu l'ultimo ad andarsene. Lisciò i fogli uno a uno, li ripose con cura nella cartelletta e si assicurò che l'inchiostro delle stilografiche non avesse sbavato da nessuna parte. La copia dei documenti da riportare a Venezia doveva essere perfetta, a prova di bomba.

Lui solo sapeva cosa era appena accaduto. Quella sera, tredici consiglieri che sapevano a malapena cosa fosse il Vajont avevano deciso di sommergere una valle intera per costruire la diga piú grande del mondo. Non d'Italia, non d'Europa: del mondo.

E gli abitanti del Vajont non ne avevano la minima idea.

L'ingegner Semenza esitò un istante, prima di lasciare la stanza. E per quell'istante, improvviso e peregrino, si concesse di pensare che forse, se lui fosse stato un abitante del Vajont, avrebbe voluto essere lí presente, quella sera. Ma fu un lampo appena, un soffio della coscienza.

Semenza sorrise. Era sempre stato un tipo un po' sentimentale. Si ravviò i capelli indietro, scrollò le spalle e uscí, con il passo leggero di chi ha un posto dove tornare.

Erto sembrava un canarino in gabbia. Tutto il paese era stato bloccato da certe camionette spuntate da non si sa dove.

Un pugno di uomini armati vestiti da cacciatori balzò giú e piombò in municipio. Dopo una breve perquisizione, uscirono in piazza con una bracciata di registri. Li gettarono sulla ghiaia, li inondarono di benzina e li incendiarono.

Si strinsero poi intorno al loro comandante, armi in pugno e occhi attenti. Ma i fucili non erano puntati verso le persone accorse a guardare. Puntavano il cielo invece, come lunghe dita lucenti rivolte a un qualche dio.

– Gente di Erto! – gridò uno di loro agli abitanti del posto, che oscillavano tra la paura e lo stupore. – Stiamo bruciando gli elenchi militari, quelli agricoli e i registri del bestiame. Qui c'è la vostra vita!

Qualcuno, lontano, lanciò un fischio acuto e il comandante storse la bocca. Fece un cenno e gli uomini arretrarono verso le camionette.

– Ora i tedeschi non sanno chi di voi può combattere, – continuò il comandante. – Non sanno quanto e cosa avete raccolto dai vostri campi, e non sanno quante bestie avete. Nascondete tutto! Loro non potranno prendervi nulla. E ricordatevi ciò che abbiamo fatto, perdiana! E se uno di noi dovesse bussare alla vostra porta, abbiate carità e offritegli pane e latte e un po' di paglia per riposare.

Uno dei soldati lo strattonò per la manica: – Dobbiamo andare. Arrivano.

E la sua voce era una voce di donna.

Il comandante ordinò svelto la ritirata, e allora gli abitanti di Erto capirono che quelli erano i partigiani del Boscardin, perché se n'era sentito parlare tanto, nelle retrovie della montagna: i ribelli della montagna che lottavano per la libertà, e difendevano tutti loro dai soprusi dei tedeschi rimasti a far razzia.

Nessuno sapeva dove vivessero, ma di certo si nascondevano nei boschi e nelle radure, là dove i tedeschi non sapevano come muoversi senza perdersi tra gli abeti o cadere nei crepacci.

– Spargete la voce! – sibilò il comandante arrampicandosi sul veicolo militare. – In nome della libertà!

Il convoglio ripartí con una sgommata, sollevando una grande nuvola di polvere. Pochi minuti dopo, un fuoristrada tedesco Kübelwagen raggiunse la piazza, girò attorno al rogo ormai quasi spento, rischiando di travolgere le persone presenti, e ripartí all'inseguimento dei ribelli.

Solo allora i cittadini di Erto osarono esultare. Il re li aveva abbandonati, lo Stato non c'era piú. Ma c'erano uomini e donne decisi e armati che combattevano per loro. Combattevano per tutti.

11. JOE

Sulla schiena delle montagne, sopra i boschi di olmi, faggi e abeti bianchi, sopra i tronchi caduti che fanno da casa alle volpi, si allungano, come un mantello di piume, le foreste di conifere. L'abete rosso, il gigante sempreverde dalla chioma slanciata. Il larice centenario, che tutto accoglie e a tutto resiste. Come guardiani stanno forti e saldi, a sorreggere i larghi pascoli imbevuti di sole. Cosí sulla vetta, dove l'erba cresce libera e pettinata dal vento, non serve protezione e tutto è quieto e gentile. Le conifere sanno bene che è merito loro, e per questo svettano fiere e maestose, senza chiedere altro che vento e luce.

Una sagoma svelta scivolò fra i tronchi, procedendo a passi lesti e attenti. Poteva essere una cerva, per l'eleganza, oppure una volpe, per l'agilità. Ma non era nessuna delle due.

La sagoma disegnò un percorso arzigogolato tra i sentieri invisibili della foresta, e anche se sembrava procedere in modo vago e casuale, sapeva benissimo dove andare. Le poche volte in cui sostava indecisa, si metteva a contare i larici di un certo versante, o i sassi muschiati di un certo tratto del sottobosco. Perché là dove sembrava regnare il caos naturale dei boschi, tutto invece aveva un nome e un posto.

Finalmente la sagoma sbucò in una piccola radura con due pecci alti come galeoni. Là si fermò, e si mise ad aspettare.

Dieci minuti, sei ore o un giorno intero: se i posti erano stabiliti con precisione, i tempi non lo erano mai.

D'un tratto udí lo scrocchio di un ramoscello spezzato, e allora si sdraiò a terra rapidissima e rimase schiacciata lí dov'era.

Gli scrocchi divennero due, tre. Poi si fermarono, vicinissimi. Tina trattenne il respiro. Neppure un capello doveva muovere.

Stava per sollevare lo sguardo, quando qualcosa di duro e appuntito le si conficcò in una mano.

– Morte ai nazisti! – gridò Tina, balzando in piedi con un sasso aguzzo in mano.

Era pronta a colpire un tedesco, ma tutto ciò che vide fu un giovane cerbiatto che sgambettava via terrorizzato. Tina esitò prima di abbassare l'arma. Poi si guardò la mano e vide solo lo stampo rosso di uno zoccolo.

Rise per scaricare la tensione. E tornò ad aspettare.

Tina Merlin non aveva esitato un attimo a unirsi ai partigiani. Non solo perché suo fratello Toni era diventato partigiano ben prima di lei, ma perché Tina riconosceva in quel gruppo di ribelli qualcosa che le apparteneva. Qualcosa d'importante.

Scoprí presto che i partigiani si chiamavano cosí perché erano di parte, e per la precisione dalla parte del popolo; che dovevano avere un nome di battaglia per evitare di essere riconosciuti. E scoprí che una «staffetta», come l'aveva chiamata Toni una sera, era un agente segreto che trasportava messaggi di nascosto.

– Voglio farlo anch'io, – gli aveva detto Tina di slancio.

– Però se ti arrestano sono guai. Ti torturano per farti fare i nomi, per tradire i compagni. So di una ragazza che è stata violentata per giorni. Le hanno spezzato le ossa. I tedeschi non hanno pietà.

– E allora non l'avremo neanche noi, – replicò Tina. Non sapeva da dove le venisse il coraggio. Era tutto cosí assurdo. La guerra che era finita e però non era finita. I nazisti che uccidevano senza alcun senso, solo per il gusto di uccidere, e uccidevano anche i bambini e gli anziani e incendiavano tutto ciò che era vivo.

– Io voglio combattere, – dichiarò, piantando gli occhi scuri e brucianti in quelli limpidi e vivi del fratello.

Toni non diede mai il suo permesso. Tina non ne aveva bisogno. Poteva decidere con la sua testa, senza rendere conto a nessuno. E in ogni caso, non si diventava partigiani con un permesso o un invito. Nessuno aveva il diritto di chiedere a un'altra persona di rischiare tutto e di esporsi a sofferenze e torture. Era un desiderio che doveva arrivare da dentro, dalla pancia, e crescere fino a diventare l'unica cosa importante. Anzi, non un desiderio: una necessità.

Non c'erano altri ostacoli, e i compagni la accolsero calorosamente.

Le mancava solo il nome di battaglia. Doveva essere qualcosa di lontano, magari straniero, che non avesse nessun collegamento con lei. Tina si ricordò di un libro che aveva letto tanti anni prima e che l'aveva emozionata. Il protagonista era un pistolero che cavalcava solitario per la prateria raddrizzando i torti e accoppando i cattivi. Le sembrò perfetto, e da quel momento Tina Merlin diventò Joe, staffetta partigiana.

Le diedero subito molto lavoro e lei non si tirò mai indietro.

Correva in bici sulle strade dissestate delle montagne, portando messaggi criptici in posti sperduti o in centro città. Le affidavano bigliettini con messaggi in codice, tipo: *il gatto segue il topo e trova il ratto.* Tina se li infilava nella suola della scarpa, dove aveva cucito due solette insieme creando una tasca nascosta. Se i tedeschi l'avessero perquisita, non avrebbero trovato niente.

Cosí Tina Merlin si uní ai ribelli della montagna e lottò con le forze partigiane per la libertà degli italiani.

Dentro di sé trovò il coraggio di affrontare gli imprevisti, il sangue freddo necessario per sopravvivere. Imparò a mentire al nemico, a nascondere e fiutare la paura come un odore.

Imparò a diventare un'ombra, ad attraversare la foresta senza il piú fievole rumore. Imparò che i nazisti erano uomini, ma lo avevano dimenticato, agivano ormai come macchine manovrate dall'alto e quindi era inutile offrire o cercare una traccia di pietà.

Tina era brava. Rapida come un falco, intelligente e capace di leggere le cose attorno a sé.

Voleva fare la sua parte per costruire un mondo nuovo, piú giusto. Era un ideale per cui valeva la pena combattere e rischiare tutto, anche la vita.

12. Al mercato del perdono

La Svizzera, il grande paese delle montagne, era rimasta neutrale. Il fuoco della Seconda guerra mondiale non la sfiorò mai e per questo il suo territorio diventò la meta preferita di spie, ricchi in cerca di un rifugio e disperati in fuga.

Quando il partigiano raggiunse Ginevra, non ebbe difficoltà a individuare l'hotel che gli era stato indicato: era il piú grande, il piú lussuoso del centro città. Entrando, per un attimo fu sopraffatto dall'opulenza ostentata in ogni piú piccolo dettaglio. Il pavimento di marmo tanto lucido da specchiarsi, le piante esotiche dalla perfezione innaturale, gli stucchi, le statue, gli affreschi... e soprattutto le uniformi immacolate dei dipendenti. «Solo chi non deve combattere può avere divise cosí pulite» pensò. Ma il posto gli piaceva.

Si fece annunciare con il nome di Sparviero. Lo aveva scelto per dare l'impressione di essere implacabile e spietato.

– Può salire, – annunciarono alla reception. – Quarto piano.

– Quale stanza?

– Nessuna. L'intero piano è un'unica suite.

Lo Sparviero salí con l'ascensore. Non aveva mai visto niente di cosí ordinato e pulito come quella cabina.

– Non distrarti, – mormorò tra sé. – Devi essere attento. Quello è una volpe di nome e di fatto!

– Come dice, signore? – gli domandò il ragazzo dell'ascensore, gallonato come un commodoro.

– Niente, parlavo tra me e me.

– Capisco, signore. Quarto piano. Siamo arrivati.

In fondo a un lungo corridoio imbottito di tappeti persiani e vasi cinesi, una porta era aperta. L'uomo in attesa era alto e asciutto, con gli occhi segnati dalla stanchezza e dalle preoccupazioni.

Gli strinse la mano. – Sono il segretario. Venga, si accomodi. Gradisce un caffè? Vino? Frutta?

– Niente, grazie. Sono in servizio.

– Non lo dica! – esclamò l'uomo. – Qui è lontano dalle bombe e dalla morte.

– Lei non combatte e non capisce, – replicò il partigiano freddamente. – Le bombe e la morte io le porto qui, – e si indicò il cuore.

Venne fatto accomodare in un salotto con le vetrate illuminate dalle montagne. I divani di pelle bianca erano candidi come latte e poco piú in là, su una sedia di legno, piuttosto modesta per essere un trono, sedeva Giuseppe Volpi, conte di Misurata. Anche il conte era segnato dalla fatica. Dimagrito, cupo, con qualcosa che sembrava consumarlo dall'interno.

– Mi perdoni se non mi alzo, – disse, strascicando un poco le parole. – Ho qualche problema di salute e solo questa sedia mi permette di evitare atroci dolori.

– Ma certo, ci mancherebbe, – disse lo Sparviero, e subito si pentí perché si era accorto di avere assunto un atteggiamento accomodante. Proprio lui, che era lí per accusare, intimorire e ottenere.

– Come vede signor... ehm, Sparviero, giusto?

Il partigiano annuí cauto. Udire il suo nome pronunciato da quell'uomo lo faceva sentire un bambinetto che giocava a fare il pirata.

– Come vede sono un uomo malato e non mi resta piú molto da vivere, – ribadí il conte. – Mi restano però molti desideri e sogni. Vuole sapere qual è il mio sogno piú grande?

Lo Sparviero inspirò ed espirò rumorosamente per dimostrare una malcelata impazienza. Ma non era un grande attore e, comunque, il conte era molto piú abile di lui nelle trattative. Le conduceva da anni, con enormi successi. Non solo negli affari, ma anche in politica e nella diplomazia. Giuseppe Volpi aveva un talento naturale e un'intelligenza acutissima che, uniti a una certa mancanza di scrupoli, lo avevano reso un uomo dal potere smisurato.

– Il mio sogno è quello di rivedere l'Italia come un paese unito e pacifico, ricco e prospero, – dichiarò il conte, e lo Sparviero pensò che le parole gli venivano giú come grani di un rosario. – Un paese in cui ci sono altri sognatori che lavorano per realizzare i loro sogni.

Lo Sparviero non si lasciò abbindolare. – Ma lei non è lo stesso Volpi che fu governatore della Tripolitania?

Volpi apparve stupito. Non si aspettava quella domanda.

– Certo, è lí che ho meritato il titolo di conte di Misurata. Perché?

– Quindi fu lei che guidò la mano del generale Graziani, il famoso macellaio che bombardava regolarmente gli ospedali della Croce Rossa e non esitava a usare i gas tossici vietati dalle convenzioni internazionali.

Il conte scacciò quelle parole con la mano. – Ah, io di quelle cose non so niente.

– Davvero? Eppure Graziani sta ancora combattendo. E stavolta contro gli italiani, la sua stessa gente. Ma stia pur tranquillo che gli metteremo le mani addosso.

Volpi rimase in silenzio un lungo istante. Osservò il partigiano con viva curiosità, come se fosse una bestia rara e sconosciuta.

– Signor... Sparviero, lei mi fraintende. Il fascismo è fallito e Mussolini è un pazzo che ha portato l'Italia sull'orlo del baratro, e forse anche oltre. Ma ci sono persone che vogliono riparare a quei danni, vogliono aiutare chi combatte per la libertà e ricacciare gli invasori fuori dai confini nazionali.

– Gli invasori e i repubblichini, quel rigurgito fascista che appesta il Nord come un tumore?

Il conte rispose con un secondo di ritardo. – Sono nemici della patria, certamente.

Lo Sparviero si scoprí rilassato. Aveva di fronte un uomo vuoto, che non sapeva davvero quello che diceva ma recitava un copione. Diverso a seconda della circostanza.

– E quindi adesso vorrebbe aiutare la causa partigiana?

– Ho già dato disposizioni affinché le mie ville di campagna vengano aperte ai membri della Resistenza.

Volpi fece un cenno al segretario, che porse immediatamente un elenco di indirizzi allo Sparviero. Glielo squadernò davanti come il menu di un ristorante.

– Sono rifugi sicuri, – spiegò il conte, – circondati da parchi facili da sorvegliare. E sono grandi, perfetti per strutture come ospedali o anche solo nascondigli per i... guerrieri come lei.

Guerrieri. Chissà come, detto da lui suonava piú come «selvaggi» che come «combattenti».

– Tutto molto encomiabile, – commentò lo Sparviero, scorrendo con gli occhi il lunghissimo elenco degli immobili. – Ci sono anche provviste di cibo?

Volpi annuí. – Cibo, abiti. Persino del sapone. Non mi è riuscito di procurare armi.

Lo Sparviero stirò gli angoli della bocca in un sorriso. Le armi, per uno ricco come il conte, erano sicuramente la merce piú facile da procurarsi in tempi come quelli. E se il conte non se le era procurate, un motivo c'era.

– La Resistenza ringrazia per il suo sostegno, – disse, con tono neutro. – Ma da un uomo di mezzi come lei ci aspettavamo molto di piú.

Volpi sfoggiò un sorriso sornione. – Ho molti peccati da farmi perdonare, giusto? Lo so, lo so bene. E proprio per questo intendo elargire un corposo versamento al Comitato di Liberazione Nazionale.

Lo Sparviero fissò il conte dritto in volto. – Corposo quanto?

Il segretario riprese il foglio con l'elenco delle proprietà e vi scribacchiò qualcosa. Poi lo mostrò al partigiano.

Lo Sparviero lesse la cifra senza tradire alcuna emozione. Avrebbe voluto ridere in faccia a un uomo come il conte, un voltagabbana che andava dove lo portavano i quattrini. Ma la verità era che la causa partigiana aveva fame di risorse, e rinunciare a una donazione come quella non sarebbe stato solo stupido: sarebbe stato un crimine nei confronti dei compagni bisognosi di aiuto.

– Che ne dice? Può andare? – incalzò il conte con gli occhi che brillavano.

Lo Sparviero restituí il foglio al segretario. – Cosa chiede in cambio?

– Io? – domandò il conte. – Ma nulla. Voglio solo fare la mia parte per riportare la pace.

– Vada avanti, – lo esortò lo Sparviero. – Voglio sincerità.

Il conte esitò. Sincerità. Qualcosa che non gli veniva chiesto, e men che meno offerto, da almeno trent'anni.

– Dopo la pace ci saranno dei tribunali per giudicare quelli come me, – disse, e questa volta il suo tono era diverso. – Se qualcuno si ricorderà del mio contributo, gli sarò grato. Magari il Comitato sarà cosí gentile da scrivermi una lettera di ringraziamento, giusto per cortesia.

Lo Sparviero spostò lo sguardo alla finestra. Alle montagne. Il conte di Misurata si stava comprando il perdono per i crimini che aveva commesso quando indossava la camicia nera e inneggiava al fascismo. La lettera che chiedeva (un documento di pura formalità, consegnato a chiunque donasse risorse ai partigiani) gli serviva per dimostrare di avere sostenuto, con generosità, la Resistenza.

Si poteva fare, e si fece.

Anni dopo, la commissione d'inchiesta che valutò Giuseppe Volpi, conte di Misurata, lo prosciolse da ogni accusa. Tutto ciò che aveva fatto durante il fascismo era perdonato.

L'unica forza capace di arrestare il conte fu la morte, che lo prese nel novembre 1947. Il suo funerale fu celebrato dal patriarca di Venezia, che di lí a pochi anni divenne papa.

13. ALDO DICE 26 x 1

Ho accarezzato l'ideale di una società democratica e libera in cui tutte le persone vivano insieme in armonia e con pari opportunità.
È un ideale per il quale spero di vivere e che spero di raggiungere. Ma, se sarà necessario, è un ideale per il quale sono pronto a morire.

Nelson Mandela al processo di Rivonia

Era l'aprile del 1945 quando Tina salí in montagna in bicicletta per parlare con Toni. Nell'aria si respirava già la fine della guerra. Gli americani incalzavano e i tedeschi, asserragliati nei loro presidi, non osavano mettere il naso fuori.

Molti partigiani avevano smesso di nascondersi. Alcuni erano tornati a casa. Ma il pericolo piú grande è quello che non ti aspetti.

Incontrò Toni a metà strada tra il campo e Belluno. Si scambiarono quel che dovevano: Toni ricevette un fagotto con alcuni vestiti puliti; Tina un biglietto da consegnare.

– Hai la faccia lunga, – osservò Tina, carezzando la guancia scavata del fratello. Le attività della ribellione gli avevano mangiato via i muscoli da ragazzo di montagna, e adesso Toni era magro e nervoso come un arbusto.

– Mi hanno promosso comandante di brigata, – disse.

– E non è una buona notizia?

– Lampo, il vecchio comandante, se n'è andato.

– Oh, no! È morto?

Toni fece segno di no. – È tornato a casa. Sua madre aveva il crepacuore.

La ragazza con ci poteva credere. – Ma come sarebbe? Proprio alla fine, per giunta, con la vittoria in vista!

– La fine è peggiore dell'inizio, – disse laconico Toni. – È l'ultima fiammata, il crollo definitivo prima della ricostruzione.

Tina non capiva. Se combatti per un ideale ci sono solo due possibilità. O riesci a realizzarlo o ti ammazzano. Non ci sono vie di mezzo.

– Leggilo pure, – la riscosse Toni indicando il biglietto. – Ci sono gli ordini dell'insurrezione. Ormai manca poco davvero.

Il messaggio diceva: *Aldo dice 26 x 1*.

Per Tina non significava niente, come non le dicevano nulla i tanti messaggi in codice che aveva fatto viaggiare su e giú per le montagne.

– C'è una cosa che voglio dirti da tanto tempo, – disse Toni, sorridendole con dolcezza. – Sei stata davvero brava, sai? Quando sarà finita ce ne andremo alla tua roccia e ce la racconteremo.

Si lasciarono con un sorriso di complicità, pedalando in direzioni opposte.

Cominciò all'imbrunire del 25 aprile. Gli schianti degli attacchi ai presidi tedeschi arrivavano portati dal vento come soffioni. I depositi di munizioni di Cesa erano saltati in aria. Il crepitio dei mitra accompagnava gli assalti sanguinosi ai presidi di Dussoi e Refos.

Le raffiche arrivavano a ondate, punteggiate dalle esplosioni delle bombe a mano. Avevano un ritmo, come una musica, una lugubre sinfonia di morte.

L'alba portò il silenzio e Tina corse a raccogliere notizie al Battaglione. Piovigginava quando incontrò un'altra staffetta che veniva dalla strada del cimitero.

– Ho visto due morti nella cella del cimitero, – annunciò cupa.

– Chi sono?

– Non lo so. Il cancello è chiuso.

Tina doveva sapere. Tagliò per i campi umidi di rugiada, ed era strano, cosí strano avere la morte nel cuore e però sentire le artemisie che solleticavano i polpacci, vedere i ciuffi bianchi e gialli delle margherite, scavalcare un'ortica per evitare le punture. Come se tutto fosse uguale a prima, a prima che ci fosse la paura.

Il cancello del cimitero era chiuso davvero e Tina lo scavalcò. Provò con tutte le sue forze ad aprire la porta della cella mortuaria ma quella non cedeva, allora sbirciò da una finestrella. Su un tavolo di marmo c'erano due corpi celati da un lenzuolo. I visi erano coperti, ma si vedevano le gambe. Uno dei due era molto muscoloso. Come uno sportivo, un calciatore.

Un braccio dell'altro era scivolato giú dal tavolaccio. Dal sudario spuntava un lembo di maglietta blu, rattoppata sulla manica con del filo rosso.

Allora Tina sentí le ginocchia che crollavano e si appoggiò con la schiena contro il muro. Chiuse gli occhi, inspirò, espirò, perché quella era la maglietta di Toni: gliel'aveva portata lei appena qualche giorno prima.

Sollevò il viso alla montagna, che era sempre la stessa, e pensò che doveva esserci un errore, che di sicuro la montagna sarebbe stata diversa senza Toni. Ravvivata, corse al Battaglione, che si era installato in una casa colonica di Crevassico. Appena la videro, tutti i presenti ammutolirono.

Un giovane la prese per un braccio e la spinse dolcemente fuori.

– Ero con lui a Refos, – disse, con voce strozzata. – Abbiamo accerchiato i tedeschi, che si sono arresi subito. Ma prima di consegnarsi hanno cominciato a sparare con tutto quello che avevano. Un volume di fuoco impressionante –. Il ragazzo scosse il capo, visibilmente sconvolto. – Non ha senso, capisci? La guerra era già finita, il copione era scritto. E invece hanno sparato cosí, solo per sparare.

Tina lo ringraziò e corse via. Non voleva che la vedessero piangere.

14. La triste storia del ponte del Colomber

Longarone venne svegliato all'alba da una colonna di veicoli pesanti che lasciò la strada di Alemagna per imboccare la ripida stradina per Erto, quella che attraversava la forra del Vajont. Come bisonti in prateria, gli autocarri salivano sfiatando e sbuffando.

In testa al convoglio scattava una Topolino nera che derapava in tutte le curve. Era piccola e leggera, e su quella salita ripida e angusta scodinzolava tutta contenta.

Invece gli autocarri Fiat 640 erano goffi e rumorosi, fiaccati dai lavori di fatica. Sulle portiere spiccava la scritta *IMPRESA TORNO*. Il carico, coperto da pesanti teli marroni legati stretti alle spondine, era facile da indovinare. C'erano bulldozer, scavatori, tralicci e materiali per la costruzione. Andavano a costruire molte cose: strade, dormitori, uffici e poi Lei, la Grande Signora.

La diga.

La strada era quasi tutta sotterranea, con le gallerie scavate dolorosamente sul fianco sinistro della valle. Le aperture laterali, grezze finestre che cercavano di catturare la poca luce, non erano molto panoramiche. Mostravano semplicemente la roccia vergine dell'altro lato della gola. Nient'altro.

Ma in cima, uscendo dall'ultima galleria, si sbucava sul ponte traballante del Colomber, un bel ponte pittoresco fatto di ferro e tavole di legno. Guardare giú insegnava subito il significato della parola vertigini: centocinquanta metri di vuoto che si tuffava nel nulla. Un posto per i saldi di cuore.

La Topolino sorvolò il ponte come una gabbianella e si fermò poco dopo, in uno slargo ricavato nelle ripide pendici della montagna dove i coraggiosi montanari avevano costruito l'essenziale per ristorare lo spirito e il corpo: una chiesa e un'osteria.

Il freno a mano scrocchiò rumorosamente e il motore si spense con un gorgoglio. Scesero dall'auto l'ingegner Carlo Semenza e un suo sottoposto, l'ingegner Pancini. Era strano vederli lassú, tra la ghiaia della strada e la roccia aspra della montagna, tutti azzimati in abito scuro, scarpe lucide e cravatta di seta. Strano, ma tutto sommato comprensibile: per loro, era l'abito da lavoro.

– Pancini, lei aspetti gli autocarri e li mandi avanti. Io entro a parlare con questa gente.

– Sí, ingegnere, – disse Pancini, piú giovane di Semenza e decisamente portato per gli inchini. Parlando con i capi, infatti, tendeva sempre a chinare il busto in avanti. Stava dritto come un manichino finché non rispondeva («sí ingegnere, certo ingegnere, subito ingegnere»), e a quel punto scattava l'inchino. Ce l'aveva programmato nei muscoli, e forse anche nel cuore.

Prima di entrare nell'osteria, Semenza si accese una sigaretta e si diede un'occhiata attorno.

Avrebbe buttato giú tutto quello che c'era. L'osteria bianca di tre piani, con la sua insegnetta *Al Colomber* che faceva tristezza solo a guardarla. Un manifesto reclamizzava la birra

Pedavena, figurarsi. Ma il vero segnale che lí si trovavano in territorio selvaggio era il cartello stradale fissato con due cavicchi accanto alla porta principale.

Freccia a destra: *Erto, km 3.*

Freccia a sinistra: *Longarone, km 2.*

Tutto spennellato a mano. E pure male.

Anche la chiesa era da demolire, senz'altro. Non era male in verità, per essere una cappella di montagna. Ben rifinita e ben tenuta. Sicuramente i montanari ci tenevano. Per l'osteria avrebbero borbottato, ma per la chiesa sarebbero stati capaci di fare un gran chiasso. L'ingegnere calcolò mentalmente quanto sarebbe costato smontare le parti piú pregiate e poi ricostruirla piú in alto, dove il lago non sarebbe arrivato. Ma sí, un costo accettabile.

Tutto il resto sarebbe stato spazzato via con la dinamite. Anche il ponte, ovviamente: era proprio dove dovevano tirare su la diga.

Quel ponte aveva una storia curiosa. Si diceva che durante la guerra i partigiani lo avessero fatto saltare perché serviva ai tedeschi. Questi, furibondi, avevano cannoneggiato la valle per una settimana. Poi erano andati a Erto dicendo: o ricostruite il ponte o continuiamo coi cannoni. Vedete voi. Dopo sedici ore c'era un ponte nuovo. L'aspetto non era granché, ma la struttura era abbastanza robusta da reggere il transito di mezzi pesanti come i blindati dei tedeschi.

Semenza avrebbe ripetuto l'opera dei partigiani. Tre o quattro cariche e via, tutto ripulito. Se lo avevano fatto loro, perché non poteva farlo lui?

L'ingegnere schiacciò la sigaretta sotto il tacco ed entrò nell'osteria proprio mentre sentiva la terra tremare. Gli autocarri avrebbero sollevato un gran polverone e lui aveva indosso l'abito appena ritirato dalla tintoria.

Al piano terra dell'osteria c'era una grande sala tagliata in due da un lungo bancone di legno scuro. Sulla parete dietro il bancone spiccava una cassetta di legno con nove gancetti su cui erano appese nove chiavi. Le stanze dovevano essere tutte vuote.

Un uomo con le maniche rimboccate lucidava il bancone con un canovaccio.

– Siete quelli della diga, eh? – disse, sbirciando Semenza da sotto le sopracciglia cispose.

Semenza si avvicinò al bancone e guardò l'esposizione. Tre pezzi di focaccia grigiolini, un vassoietto di paste pietrificate, una fetta di torta del tempo di Garibaldi. In compenso, c'era un grande assortimento di bottiglie di birra Pedavena.

– Come lo sa? – domandò, leggendo un'etichetta a caso.

– Tutto 'sto trambusto potete farlo solo voi, – rispose l'albergatore.

– Questa è solo l'avanguardia, – spiegò Semenza, orgoglioso del suo lavoro. – Il grosso dei macchinari deve ancora arrivare. Senta, posso avere un caffè? Con latte fresco pastorizzato.

L'albergatore lasciò il suo straccio e si mise ad armeggiare con la macchina espresso.

– Quand'è che me ne devo andare? – s'incupí.

– Un po' di tempo ce l'ha ancora. Prima apriamo il cantiere piú in alto, per i baraccamenti degli operai e gli uffici. Un bel lavoro grosso, ma non ci metteremo molto. Per la fine del mese prossimo?

Semenza prese il bricchetto del latte e lo versò generosamente nel caffè, che diventò di un curioso color lucertola.

– È latte crudo, fresco come la neve! – spiegò l'albergatore con fierezza. – L'ho munto stamattina.

Semenza sbiancò. Latte appena munto voleva dire sicuramente germi a volontà. Ma non era il caso di protestare. – Ehm, si sente, – disse dunque, sorbendo un sorso microscopico.

Proprio allora entrò Pancini, che si guardò attorno con apprensione come se il posto fosse affollatissimo. – Ingegnere? Ingegner Semenza? – gridò, aguzzando la vista neanche fosse allo stadio.

– Venga Pancini, prenda un caffè anche lei, – lo chiamò Semenza. – È ottimo, sa? Latte crudo appena munto!

E ammiccò all'albergatore.

Ma: – Grazie, ingegnere, – rispose Pancini con il solito inchino. – Il latte meglio di no, mi mette costipazione. Invece, avete un po' di grappa? A me il caffè piace corretto.

L'oste lo squadrò con sospetto. Poi prese una bottiglia trasparente da sotto il banco e la piazzò di fronte a Pancini. La appoggiò con un gesto secco e il bancone rispose con un sonoro *TOC*.

– Grazie, – bofonchiò Pancini (niente inchino, però). Tolse il tappo di sughero che strozzava la bottiglia e non si accorse dei numerosi segni di denti lasciati dai clienti precedenti e dallo stesso oste.

– Anche l'acquavite è mia, ma non ditelo ai finanzieri, – ridacchiò l'albergatore.

– Senta, le dicevo del personale, – tagliò corto Semenza. – Noi abbiamo molti operai ma cerchiamo anche tanta gente del posto. Gente in gamba, abituata al lavoro di montagna. Meglio ancora se sono alpinisti, perché tanti dovranno lavorare appesi con le imbragature per la maggior parte del tempo.

L'uomo reagí con stupore. – Mah, gente ce n'è. I giovani sono stufi del lavoro di montagna. È duro e se viene un anno cattivo fai anche la fame. Se date un bello stipendio ci sarà la fila, altroché. A Erto ci sono tante osterie. Se ci andate la sera trovate tutti. Qui non ci viene piú nessuno perché sanno che chiudo. Anzi, quasi quasi vengo a lavorare da voi.

Semenza ammiccò al suo compare: – Guardi un po', Pancini, ne abbiamo già trovato uno! Guardi che braccia. Le va bene?

Il geometra rimase interdetto e non capí il tono scherzoso di Semenza.

– Be', penso di sí. Lei venga a trovarmi quando avremo completato gli uffici, – disse. – Chieda del capocantiere, che sono io. Qualcosa da fare glielo troveremo.

Della diga parlavano tutti, ormai. Nelle osterie si erano schierati tra quelli a favore e quelli contro, come tifosi di calcio. Poi, quando arrivavano i reclutatori della SADE a cercare personale, tutti zitti per non far brutta figura.

Ne parlavano i preti in chiesa durante l'omelia. Ne parlavano i pastori con il loro bestiame e, soprattutto, ne parlavano i sindaci e i consiglieri comunali.

Tina Merlin lo venne a sapere mentre intervistava le operaie delle aziende di Belluno per un reportage sulle condizioni delle donne lavoratrici. La sua battaglia non si combatteva piú con i moschetti e i messaggi cifrati. Lei, che non aveva neppure la licenza elementare, si era fatta una cultura da sola, leggendo con ardore e informandosi su tutto. Come aveva indovinato suo fratello Toni tanti anni prima, Tina era brava con le parole, e le parole sono importanti.

Cosí Tina Merlin era diventata giornalista per il giornale «l'Unità», e girava tutto il giorno per smascherare le angherie dei potenti. Aveva cambiato le armi, ma la guerra era la stessa.

– Ha sentito quello che succede a Erto? – le aveva detto una delle operaie durante l'intervista. – Ho dei parenti, lassú, e dicono che stanno comprando i terreni. Anzi, veramente non hanno detto *comprare*. Hanno detto *rubare*.

101

Tina si era subito accesa. – Rubare? E come fanno a rubare la terra?

– Be', offrono pochissimo e fanno minacce. Tanti hanno già firmato. Vada dalla sindaca di Erto, Caterina Filippin, che combatte per ottenere di piú. Fa un sacco di chiasso e le vogliono tutti bene. Vada a sentire lei, che le spiega bene tutto.

Tina la conosceva. Caterina aveva una bottega di alimentari e tabacchi nella piazza del paese. Nel pomeriggio, con il municipio chiuso, era sempre lí. Dunque Tina ringraziò la giovane operaia e corse alla sua Fiat 500, con cui viaggiava in lungo e in largo per tutto il Veneto a caccia d'inchieste.

Per raggiungere Erto imboccò la nuova strada del Vajont, che era molto piú larga dell'altra, ma ancora non ben rifinita. Era stata una delle prime opere realizzate da «quelli della diga» (cosí li chiamavano tutti) e l'avevano scavata nel versante opposto per non dover costruire un altro ponte. In cima si apriva uno slargo per le manovre dei camion, e là era sempre pieno di curiosi attratti da quel cantiere monumentale.

Due grosse teleferiche erano state montate di traverso e ronzavano avanti e indietro per versare il cemento nelle grandi casseforme che sagomavano il corpo della diga. Decine di operai si avventuravano nel cemento ancora liquido, immergendovi a ripetizione certi tubi vibranti e affusolati grossi come siluri: servivano per rendere piú compatta e robusta la costruzione. Altri operai, appesi a strapiombo, montavano nuovi ponteggi o preparavano altre casseforme per nuove gettate.

La diga si alzava di sessanta centimetri al giorno. Un vero record, come non si stancavano di ripetere i giornali. Era il frutto dell'ingegno dell'umanità, la dimostrazione lampante dell'operosità dell'essere umano. Deteneva anche un primato mondiale, perché una volta finita sarebbe stata la diga piú alta del globo.

Eppure, in questa gran festa di paroloni e primati, qualcosa non andava.

Tina, come tutti coloro che sapevano qualcosa di montagne, se ne accorse subito.

A una prima occhiata, i colori della montagna sono tre: l'azzurro dei laghi e dei torrenti, il grigio della roccia e il verde della coraggiosa vegetazione che osa vivere ad alta quota.

In quel cantiere, invece, tutto era scombinato.

L'acqua dei torrenti dava fastidio, quindi era stata deviata e intubata e, invece di scorrere alla luce del sole, passava sottoterra. Il letto del fiume era diventato un impasto di polvere, bianco come uno scheletro.

La roccia era annerita dalle esplosioni delle mine e opacizzata dalle continue gettate di cemento.

Il verde non c'era piú, estirpato con ferocia o bruciato con i diserbanti. L'intero imbocco della forra era stato spogliato, percosso e violentato, e non dava affatto l'idea di vita e progresso. Trasmetteva anzi uno spirito di abbandono, di triste sconfitta, di agonia.

La bottega della sindaca Filippin aveva un piccolo portico sotto cui esponeva la merce. Era tutt'un carnevale di cartoline, mestoli e tipiche stoviglie di legno che le donne di Erto e Casso scolpivano durante l'inverno, pipe in radica e altra mercanzia di poco valore. Caterina era sulla porta del nego-

103

zio, ma quando vide arrivare Tina Merlin corse dentro e si nascose sotto il bancone.

Tina aveva notato il movimento, ma non lo capí.

– C'è nessuno? – domandò, entrando in negozio.

Le lunghe trecce che aveva sempre da ragazza non c'erano piú: ora Tina portava i capelli corti e comodi sotto le orecchie, pettinati sommariamente in morbide onde naturali. Gli occhi vivaci si erano fatti piú profondi e pungenti, la figura forte, il sorriso aperto e furbo. Chi la vedeva pensava «Che bella donna!», e subito dopo «Però meglio girare al largo». Perché Tina aveva il fascino selvatico delle creature del bosco, fuggevoli e riservate, che ammiri da lontano ma ti sembrano sempre un po' pericolose.

Il marito di Caterina spuntò dalla tenda del retrobottega. Quando vide Tina, si voltò immediatamente a chiamare la moglie: – Cara? C'è gente!

Il dottor Filippin era il medico del paese e aveva l'ambulatorio comunicante con il negozio.

– Signora Merlin, buongiorno, – salutò. – Come sta?

Ma poi vide di sottecchi la moglie, tutta rannicchiata in bottega, che gli faceva strani segni.

– Tutto bene, grazie, – rispose Tina con la sua bella voce schietta. – E lei? – Parlando si avvicinò pericolosamente al bancone. – Ho saputo che ci sono problemi con quelli della diga e che sua moglie difende la gente del paese.

L'uomo capí l'ansia della moglie e si riprese dalla confusione iniziale. – Ah, vuole sapere dei terreni? Sí, è una brutta storia ma... guardi, abbiamo deciso di non parlarne. Non con la stampa, almeno.

– Davvero? – incalzò Tina. – E perché mai? Potrei chiedere a sua moglie. Sto scrivendo un articolo e vorrei pubblicare una dichiarazione della sindaca.

– Oh, – commentò l'uomo interdetto. – Una dichiarazione... ufficiale?

– Be', ufficiale, sí. La sindaca è una figura pubblica.

Parlava lentamente, Tina Merlin, scandendo bene le parole, eppure la sua voce dava sempre un'impressione di velocità.

Gli occhi dell'uomo schizzarono rapidamente da Tina alla moglie e dalla moglie a Tina. La situazione aveva del ridicolo, e tutti i partecipanti ne erano ben consapevoli. Ma nessuno osava rompere quel velo di ipocrisia.

– Per le dichiarazioni ufficiali forse è meglio se va direttamente in municipio, – scelse di dire il dottore. – Li sa gli orari?

– Sí, sí, li so. Ma già che sono qui, se ci fosse sua moglie...

– Eh, ma lei non... non c'è. Mi ero dimenticato che è uscita a fare una commissione.

– In paese? – lo stuzzicò Tina. – Magari la posso raggiungere.

– No, ehm, non in paese, – sbirciò la moglie, che ormai faceva segnali davvero impossibili. – È andata a... a Cimolais. Torna tardi. Forse domani. O dopo. Vuole che le dia un messaggio?

Tina lo guardò negli occhi. – Sí, le dica che ripasserò nei prossimi giorni per raccogliere la sua dichiarazione –. Poi azzardò: – È ora di finirla con questi abusi, giusto?

– Co-come? – replicò l'uomo colto alla sprovvista. – No, cioè, sí. Ma è un po' troppo chiamarli abusi, forse. In fondo, costruiscono la diga per il bene di tutti.

La sindaca voleva dirgli di stare zitto e che aveva parlato già abbastanza, invece si batté la mano sulla fronte e lo schiocco si sentí bene nel negozio.

– Ha sentito? Che cos'era? – domandò Tina.

– Eh? È il cane.

– Ah, avete preso un cane. Bene, sono animali che tengono tanta compagnia. Saluti la signora dunque, e il vostro...

L'uomo non capí. – Il nostro?

– È un cane senza nome?

– Oh! Il nostro... – Lo sguardo del dottore schizzò tra le merci come la pallina di un flipper. – ... Mestolo.

– Mestolo?

– Mhm. Mestolo.

Tina rimase alcuni istanti in piedi in mezzo alla bottega. Poi si voltò, e finalmente se ne andò.

O almeno cosí fece credere. In realtà, appena fu fuori vista, tornò indietro e si nascose tra le cartoline del vecchio ponte del Colomber (ormai un ricordo lontano) e le pipe in radica. Caterina Filippin stava facendo la ramanzina al marito. – Rimbambito, dovevi stare zitto!

– Ma sono stato zitto! Cosa le ho detto? Niente.

– Quella lí non è mica stordita. Avrà già saputo tutto.

– Tanto prima o poi lo sapranno tutti. Non possiamo tenere il segreto per sempre.

Tina stava per fare un imbarazzante (ma anche trionfale) ingresso in bottega, quando si trovò davanti un ragazzino lungo e occhialuto, che la fissava con gli occhi svegli e le mani ben piantate nelle tasche delle braghette.

– Lei è la signora giornalista Merlin? – domandò.

– Sono io. E tu sei...?

– C'è una persona che le vuole parlare, – disse il ragazzino ignorando la domanda. – Mi segua, per piacere.

Ora, qualcuno forse si sarebbe risentito di quelle brutte maniere. Ma a Tina Merlin le cerimonie piacevano pochissimo, e dunque fu subito attirata da quei modi semplici e spicci.

Il bambino la condusse in una piazzetta striminzita ma piena di botteghe. Il ciabattino aveva portato fuori la sua panca da lavoro e martellava il tacco di uno stivale cantando arie romantiche. Quando vide Tina si alzò in piedi e fece un assolo: – Non dimenticar / che t'ho voluto tanto beneee... Forse nel mio cuor / puoi trovare ancor / tanto e tanto amooor...

Tina gli sorrise e la moglie del macellaio gli fece un applauso da dietro la vetrina.

L'uomo fece un inchino e riprese a martellare.

Il ragazzino, intanto, era entrato nell'osteria del Becco Giromino, la taverna con la grande capra cornuta come insegna.

Le sedie e le panche erano rivoltate a testa in giú sui tavoli, e lo stanzone cosí sistemato sembrava piú grande. Una parte del pavimento era bagnata, e una ragazzina che doveva avere nove o dieci anni lo sfregava vigorosamente con uno straccio. Tina la guardò subito con simpatia: sia per l'impegno con cui lavorava, sia perché, nonostante portasse un fazzoletto legato sulla testa, i suoi capelli esplodevano qua e là ribellandosi con forza all'oppressore.

Una grande ruota di carro era stata appesa al soffitto come lampadario e, accanto all'ingresso, era appoggiata una bicicletta. Sul bancone, che aveva due porte ai lati, c'era solo un bicchiere che conteneva un mazzolino di genziane. E sulla destra spiccava un televisore: un brutto scatolotto scuro, un ciclope dall'occhio grigio cerchiato di bianco. Sembrava un pezzo della diga messo lí come decorazione.

La ragazzina accolse Tina con un sorriso e poi guardò il ragazzo.

– Quello è già arrivato. Il tubo l'ho smontato io, – disse.

Tina era sempre piú intrigata: che diavolo stava succedendo?

Il ragazzino la prese per mano. – Per piacere, adesso non parli, eh.

E la trascinò in cucina.

Ma, piú che una cucina, era una corte reale. Il re era un pentolone di rame immenso in cui si sarebbe potuto fare il bagno (sempre che qualcuno volesse fare il bagno nella polenta). Era appeso tra un focolare identico a quelli dei maniscalchi e un cono di rame piantato nel soffitto. La regina era il lavello di pietra su cui era appoggiato un secchio pieno d'acqua. Le dame di corte erano i piatti aggrappati disperatamente a una piattaia stracarica che sembrava fosse sul punto di spezzarsi a metà. E c'era anche il traditore: un tubo metallico appoggiato in un angolo. Un mozzicone di tubo identico spuntava da una parete ed era chiaro che, fino a un momento prima, i due si stavano baciando.

Il bambino, incurante di tutto, trascinò una sedia accanto all'apertura.

– Salga sulla sedia, – sussurrò. – È piú facile.

È possibile essere troppo curiosi per fare domande? Tina in quel momento lo era. Le ricordava le avventure vissute durante la guerra, quando era meglio non chiedere e non sapere.

Dunque salí sulla sedia, e ascoltò i segreti del tubo.

– Guardi che in un modo o nell'altro la spuntiamo noi.

Era la voce di un uomo, distorta dalla canna fumaria ma comunque ben comprensibile. Tina si avvicinò di piú e il puzzo della fuliggine le azzannò le narici.

– Crede di far paura a una donna come me? Lo sa cosa facevo vent'anni fa a quelli come lei? Gli sparavo col fucile, e poi li seppellivo in montagna. Ecco cosa facevo.

La donna che aveva parlato doveva avere una certa età, notò Tina.

– Vent'anni fa c'era la guerra, – replicò l'uomo, per nulla intimorito. – Adesso siamo in pace.

– Sa qual è il problema? Che volete prenderci tutto e in cambio ci date pane secco.

– Ma non dica cosí! L'azienda è molto generosa. La chiesa di Sant'Antonio, per esempio. L'abbiamo smontata e la ricostruiremo identica piú in alto. E facciamo una strada che gira intorno al lago, cosí si potrà andare dall'altra parte, magari con l'auto. Il lago porterà turismo, quindi denaro! Perciò vede? Non si tratta solo di quanto paghiamo i terreni.

– Lei dice cosí, ma se siete tanto ricchi e generosi potreste pagarci i terreni quello che valgono, darci quanto ci spetta!

L'uomo scoppiò in una risata falsissima. – Ma lo sa qual è la prima regola per diventare ricchi? Non dare denaro agli altri.

– Cosí non mi convincerà certo a vendere.

– Ma dicevo cosí, per scherzare un po'. Vede, cara signora, lei non ha capito che noi non abbiamo nessun bisogno di convincerla a vendere. La diga è un'opera di pubblica utilità. Sa cosa significa? Che possiamo chiedere l'esproprio dei terreni.

– E che vuol dire?

– Che la legge ci consente di prenderci la terra e di pagarla quanto vogliamo.

– E figurarsi! Allora perché non lo fate subito e vi risparmiate tutte queste seccature?

– Ah, fosse per me lo farei. Ma secondo la legge, prima dobbiamo fare un'offerta. Se poi l'offerta non viene accettata, tanto peggio per il proprietario. Ci pensa, signora? Le conviene vendere, perché tanto ha perso comunque.

– ...

– ...

– Devo parlarne con mio figlio. Adesso vada via, che la sua faccia mi toglie l'appetito.

– Tornerò la settimana prossima, – disse l'uomo, la cui voce si stava già allontanando. – Se non sarà pronta a firmare andremo avanti con l'esproprio. E mi creda che non lo facciamo volentieri. È solo il nostro lavoro. Arrivederci, signora.

Dopo un secondo di silenzio, la voce della ragazzina rimbombò forte e chiara: – Arrivederci, signore, e torni a trovarci.

– Signora Merlin, è lí?

Tina trasalí. La voce del tubo la stava chiamando.

– Ehm, sí? – rispose, cercando di non ingoiare fuliggine. – Ma posso sapere con chi parlo?

110

– Faccia il giro. Venga qui.

Nella sala principale dell'osteria Tina rivide il ragazzino di prima, che però ora addentava un panino seduto a un tavolo, e accanto a lui la ragazzina che gli diceva: – Se fai briciole ti spezzo le ossa.

Il bambino indugiò un istante e poi indicò a Tina un'altra porta.

– Di là.

Tina obbedí e si trovò in una stanza piú piccola. Conteneva un tavolone accostato a una finestrella, e una grossa stufa con la canna fumaria che piegava verso il muro come se dovesse dirle all'orecchio qualcosa di molto importante.

Una signora molto anziana ma dagli occhi profondi era al tavolo e succhiava distrattamente da una pipa spenta.

– Lei è la Merlin? – bofonchiò. – Grazie per essere venuta. Si accomodi.

Tina cominciò, vagamente, a mettere insieme qualche pezzo.

– Voleva parlare con me?

La signora annuí lentamente, come se le costasse fatica.

– Io leggo i suoi articoli, sa? Quando scrive lei, si capisce tutto. Lei non ha peli sulla lingua, come certi sfarfallini della stampa! Tipo quelli del «Gazzettino», ha presente? Quelli sono bravi con le bugie. Lei è brava con la verità.

Tina non aveva mai ricevuto un complimento piú prezioso.

– La ringrazio davvero, signora.

– Sono io che ringrazio lei. Mi chiami Agata. Oggi son salita a Erto perché avevo appuntamento con quello della diga. L'ho vista davanti alla bottega della Filippin e mi è venuta l'idea di usare il vecchio trucco della stufa. Questa qui è una saletta

111

riservata che usavano i tedeschi quando venivano all'osteria. Io, con i miei compagni, smontavamo il tubo della stufa per sentire cosa dicevano.

Tina provò un senso di famiglia. – Anche lei è stata partigiana?

– Certo. E lo sono ancora. Non si finisce mai di essere partigiani, sa?

– Sí. Lo so.

– Comunque, quando l'ho vista ho subito pensato che doveva sentire cosa mi diceva quello sgallettato. Ma l'ha visto? Con quel sorriso da malabestia, mi mette addosso la rabbia!

– Non l'ho visto, no, – osservò Tina.

– E buon per lei. Comunque, ha sentito, no?

– Tutto. È vergognoso.

– Oh.

Agata annuí compiaciuta. Finalmente qualcuno che usava le parole giuste. Poi si voltò verso la finestrella della stanza. Si riusciva a intravedere un pezzo di montagna.

– Io lo so che quelle terre non valgono niente. C'è un po' d'erba per i pascoli, qualche stalla, qualche casa. Ma io ci sono nata, ci sono cresciuta, ci sono rimasta dopo sposata. Quella casa è la mia vita. Lo capisce cosa voglio dire? C'è tutta la mia vita, lí. La mia, quella dei miei genitori, dei miei nonni, dei miei avi. E di tutte le altre famiglie, naturalmente. Mica ci sono solo io.

Tina l'ascoltava con gli occhi lucenti, perché la rabbia accende piú del fuoco, e non c'è acqua che basti a spegnere le fiamme.

– Cosa farete quando inonderanno la valle?

– E cosa vuole che facciamo? I bagagli, facciamo. Svuotiamo le case, portiamo via le bestie, tiriamo su l'ultimo raccolto nell'orto. E poi smontiamo tutto quello che si può smontare e lo portiamo via. C'è la casa di Erto che era di mio marito. La usiamo d'inverno. Ce la faremo bastare anche per l'estate.

Agata aveva parlato con tono brusco e pratico, ma Tina sapeva che era solo per nascondere le emozioni. Per non dare alla disperazione il permesso di entrare.

– In questa valle le terre buone sono tutte in basso, – continuò la donna. – In alto ci sono solo sassi e scarpate. Siamo sempre stati poveri, ma lí c'era da mangiare. Mi ascolti –. Agata si chinò per guardare Tina dritta negli occhi. – Se allagano il Vajont, ammazzano la valle.

Tina annuí. Cambiare casa, costruire la chiesa piú in alto... ne avevano di parole con cui riempirsi la bocca, quelli della diga. Ma erano parole che masticavano solo loro, perché per gli abitanti del Vajont non volevano dire nulla. Una chiesa non si sposta. Non si mette «piú in su, che è piú comodo». Una casa non si annega, perché è una cosa viva e se l'anneghi muore, con tutte le memorie che ha dentro.

– Ho sentito che il tizio ha sventolato l'esproprio. Potete sempre fare ricorso in tribunale.

La signora batté una mano sul tavolo e il grande piano di quercia suonò come un antico tamburo. – Ah! Il ricorso! Certo che si può fare. Dobbiamo pagare un avvocato che ci costerà quanto il valore dei terreni, forse di piú. E quanti anni ci vorranno prima che un giudice prenda in mano la faccenda? Sarà già tutto sommerso, tutto andato! E allora tanti saluti.

Agata trasse un sospiro profondo.

– Si sono anche comprati mio figlio. Lavora da loro, sa? È entusiasta della diga. Per lui è un'opera straordinaria. Quando ne parla, gli brillano gli occhi. È lo stipendio che prende tutti i mesi che l'ha cambiato. E come lui, chissà quanti. Alla fine vinceranno loro. Ma si deve sapere, tutti devono sapere che razza di porcherie stanno facendo.

Tina aveva già le mani che prudevano per arrivare alla macchina da scrivere.

– La mia penna è con voi, – la rassicurò. – Spero anche di ottenere una dichiarazione ufficiale della vostra sindaca. Almeno lei è dalla vostra parte, pare.

– Ah, è arrivata tardi. La Filippin ha tradito. Faceva grandi dichiarazioni in difesa degli interessi degli ertani e poi, di nascosto, ha venduto i suoi terreni e anche quelli del municipio.

Tina sussultò. – Ma sul serio?

– Sul serio, sí. Devono averle offerto un sacco di soldi. E quelli fanno gola a tutti, sa! I soldi sono la ricchezza dei deboli. E poi non solo il comune, ma anche lo Stato si è messo contro.

Tina corrugò la fronte. – A cosa si riferisce?

– Come, non l'ha saputo? Qui a Erto non abbiamo mai avuto una stazione dei carabinieri, non ce n'era bisogno. La prima cosa che hanno costruito quando sono arrivati quelli della diga è stata una nuova caserma. Per le troppe risse dei montanari, dicono loro. Per controllare noi, dico io. E infatti vanno a spaventare quelli che non vogliono vendere, e a sfrattare quelli che non vogliono lasciare la propria casa. Come possiamo combattere contro uno Stato che ci vuole male? Ci aiuti lei, signora Merlin. Dimostri loro che la verità è un'arma piú potente del denaro.

114

Quello di Agata era un grido di dolore e disperazione, un grido che tutti gli abitanti della valle covavano nel cuore.

Tina sentí crescere un'indignazione piú rovente dell'odio per i fascisti in guerra. Agata aveva ragione: almeno in guerra si combatteva. Anche quando non aveva senso, s'imbracciava il fucile, si portava un messaggio segreto, si saliva sulla montagna a far piani di rivolta. Ma di fronte a un sopruso deciso dalla legge, non c'erano piú fucili e messaggi e rivolte con cui lottare. Restavano solo le parole.

Le parole erano l'unica arma rimasta, per aggredire le coscienze, per gridare la verità.

Prese la mano di Agata e la strinse forte.

– Da dove cominciamo?

La donna sorrise. – Potremmo cominciare dalla strada.

L'ufficio di Carlo Semenza era molto spartano, come tutti gli uffici temporanei che vengono montati nei grandi cantieri. C'erano carte dappertutto, tecnigrafi per i disegni tecnici, macchine da scrivere che ticchettavano come orologi impazziti. Anche tenendo la porta chiusa era difficile isolarsi da quel caos.

E Dio solo sapeva quanto aveva bisogno di concentrazione, invece!

La diga si stava rivelando piú spinosa del previsto. Ogni giorno spuntavano nuovi problemi, tanti problemi, e lui si trovava a prendere decisioni delicate che francamente non sapeva neanche bene come affrontare.

Si aspettava di trovare roccia dura e impermeabile, e invece la montagna era un impasto friabile e poroso. I punti di contatto tra la diga e la roccia erano cruciali per la resistenza della struttura. Avevano iniziato a iniettare cemento per irrobustirli, ma piú pompavano e piú la montagna se lo mangiava. Sembrava un pozzo senza fondo.

Ah, cosí non andava, non andava per niente!

Il problema piú grave era che Carlo Semenza cominciava ad avere dubbi. Dubbi insidiosi, che gli trapanavano la testa. Forse avevano avviato i lavori troppo presto. Forse dovevano fare altre indagini per capire meglio i segreti del Vajont.

Avrebbe saputo anche a chi far fare il lavoro: suo figlio era un bravo geologo, attento, fidato. Sí, suo figlio avrebbe potuto indagare con piú coscienza, e con assoluta discrezione...

Il geometra Pancini fece irruzione nell'ufficio, terreo in volto.

– Ingegnere... Desidera...

– Pancini, ma che modi sono?! Non l'ho mica chiamata!

– Ma no: *Desidera*, il direttore del Genio Civile... è qui.

Semenza balzò in piedi come se avesse preso la scossa e attraversò l'ufficio con falcate da centometrista.

I dipendenti cercavano di non guardare l'ingegner Desidera, ma era chiaro che ne avevano paura. Di fronte a lui non sapevano come comportarsi e allora fingevano di non notarlo. Dal canto suo, l'ingegnere non era certo uno che passava inosservato. Era un bell'uomo, alto e ben vestito, e il suo sguardo attento e indagatore veniva amplificato dagli occhiali.

– Ingegner Desidera! Che gradita sorpresa! – esclamò Semenza mentre gli stringeva la mano con vigore. – E come mai da queste parti? Se mi avesse telefonato avrei potuto organizzarle un ricevimento adeguato, non so, andare a pranzo insieme...

– Vede, ingegner Semenza, – lo interruppe Desidera. – Le ho scritto piú e piú volte per avere il progetto della strada del Toc, senza mai ricevere risposta. Cosí ho pensato che aveste troppo da fare e sono venuto di persona.

– Dice sul serio? Mi sembra strano, qui siamo molto scrupolosi. Ma venga nel mio ufficio, non parliamo in questa confusione. Posso offrirle qualcosa?

– Un caffè, grazie. Ma presto. Ho bisogno di visionare i progetti, con le autorizzazioni ministeriali e tutto il resto.

– Certo, certo, ma è tutto in regola, vedrà.

Desidera si fece portare tutti i progetti e i documenti, insistendo perché venissero recuperati anche quelli che, secondo le parole di Semenza, «non si riuscivano a trovare».

Esaminate le prime certificazioni, l'uomo partí subito con le rimostranze: – Ingegner Semenza, guardi qui. I numeri di pagina non sono sequenziali. Dove sono le pagine mancanti?

Una domanda cosí semplice gettò l'ufficio nello sgomento e la sala cominciò a ronzare come un alveare che rotola in una scarpata.

Mentre Semenza sgridava i dipendenti a gran voce e ordinava loro di trovare quelle disgraziate pagine, Desidera andò a versarsi un altro po' di caffè, sbirciando dalla finestra per guardare il panorama. E allora trasalí, spruzzando il caffè sul vetro. Aveva appena visto il progetto. La strada doveva essere appena cominciata. E invece era già lunga chilometri.

Dieci minuti dopo i due ingegneri, uno decisamente irritato e l'altro decisamente in allarme, percorrevano in auto la nuova strada in costruzione.

– Questa me la deve spiegare, Semenza, – disse asciutto Desidera.

– Ci portiamo avanti, tutto qui.

– Ma *non potete* farlo. Vi manca l'autorizzazione del ministero!

– L'autorizzazione arriverà! Arriva sempre!

– Lei sta scherzando. La sua leggerezza è imbarazzante. Ma lo sa di cosa stiamo parlando qui? Ha capito l'entità di questo progetto? E lei mi dice «l'autorizzazione arriverà!», come se parlassimo della torta da portare al compleanno! Guardi, sono costernato, assolutamente costern... UN MOMENTO! FERMI L'AUTO!

Semenza inchiodò. Davanti al veicolo, chiara come una riga di pennarello su un foglio bianco, una crepa tagliava in due la strada. Desidera si chinò per esaminarla meglio. I due piani della strada erano sfalsati. Un tratto era più basso dell'altro.

– Semenza.

– Sí, il terreno ha ceduto un pochino, – ammise Semenza.

– È colpa della dinamite che usiamo sul cantiere. Ma sono cose normali e previste, soprattutto in montagna. C'è un po' di assestamento, un colpo qui un colpo lí, ma poi quando si finisce il lavoro non si vede più niente.

Desidera si rialzò e spolverò i pantaloni. – Mi sembra chiaro quello che c'è da fare, – disse, sollevando gli occhi sulla montagna. – Il cantiere non è sicuro e non è autorizzato. Io lo chiudo. Semenza, mandi a casa gli operai. Devo mettere i sigilli. Poi domani tornerò con gli ispettori per controllare a fondo.

– Cosa?! – sbottò Semenza. E però riprese subito il controllo. – Ci pensi bene. Queste non sono decisioni che si prendono alla leggera.

– Alla leggera? Qua sta andando giú un pezzo di montagna. Non sono io che decido: è lei!

– Ma è lei che ci mette la firma, capisce? Deve pensare anche al suo futuro... alle conseguenze, diciamo... diplomatiche...

– Stia pur tranquillo che il mio futuro non mi preoccupa affatto. Io il mio lavoro lo faccio con scrupolo e coscienza. E adesso torniamo indietro, c'è ancora molto da fare prima che torni a Belluno.

119

La notizia si diffuse come una febbre. Tutti ne parlavano. A Erto qualcuno brindava come dopo l'arresto di Mussolini. Ma, ora come allora, la storia non era finita.

Il mattino successivo Tina chiamò il Genio Civile, tale ingegner Renzo Desidera, per raccogliere una dichiarazione ufficiale.

– Ingegner Desidera? Sono Tina Merlin, scrivo per «l'Unità».

Silenzio.

– Sto scrivendo un articolo sui lavori della diga del Vajont.

Silenzio.

– Avrei bisogno di raccogliere una dichiarazione ufficiale sullo stato dei lavori. Dunque ho chiamato lei. Ingegnere? Ma... mi sente?

Dopo un nuovo silenzio carico di qualcosa che Tina non capiva, l'ingegner Desidera, finalmente, parlò.

– Mi hanno trasferito, signora Merlin. Stamattina ho trovato la lettera di trasferimento sulla mia scrivania. Bella busta, elegante, con tanto di sigillo. *Lettera urgentissima dal ministro dei Lavori pubblici*, Giuseppe Togni in persona.

Tina era scandalizzata. – Come possono cambiare il Genio Civile con i lavori in corso d'opera?

– Ieri ho chiuso il cantiere della SADE, – rispose Desidera.

– L'ha saputo?

– Ma certo, è la notizia del giorno.

– Appunto. Al ministero non hanno perso tempo. Hanno mandato un corriere speciale in moto che si è fatto Roma-Belluno guidando tutta la notte.

– Ma è una procedura normale?

– No.

120

– Quindi la SADE è cosí potente da influenzare anche un ministro della Repubblica. Anzi, non influenzare, *manovrare* come un burattino per colpire chi va contro i loro interessi!

Desidera si ricordò di essere al telefono con una giornalista e si chiuse a riccio.

– Io... non ho detto questo.

– Vede? Ha subito imparato la lezione. Non bisogna dar fastidio ai potenti, vero?

– Senta. Mi scusi, devo salutarla. Sto facendo i bagagli.

Tina schiumava rabbia. «I padroni comandano e tu obbedisci», ecco che tornava la vecchia litania. Ma lei adesso non aveva piú paura di disobbedire. Lei non se le mordeva le labbra, anzi, non vedeva l'ora di parlare! Strinse i lati della macchina da scrivere come se volesse mangiarsela, un pezzo di ferro spigoloso di almeno cinque chili.

Infilò la carta nel rullo come si infilza un uomo con la baionetta.

E cominciò a battere, lettera dopo lettera.

La SADE è uno Stato nello Stato...

18. LA STRADA GIUSTA

La vera moralità consiste non già nel seguire il sentiero battuto, ma nel trovare la propria strada e seguirla coraggiosamente.

Mahatma Gandhi

La cornice di legno tarlato abbracciava una foto in bianco e nero sbiadita dal tempo. Una giovane Agata indossava un vestito bianco tutto pizzi che sua madre le aveva ricavato da una tenda di lino. Era leggermente inclinata verso il marito e gli teneva il braccio. Alberto invece era dritto come uno stecco e sembrava imbarazzato. Indossava l'uniforme da alpino e sfoggiava due baffoni grossi come pannocchie. La sua prima foto della vita.

— Nonna, ma come faceva il nonno con quei baffi? — chiese Ago. — Non gli tiravano giú il naso?

— Aveva delle speciali bretelle che li tenevano su.

— Come i reggiseni delle donne?

— Esatto. Ma non si dicono quelle parole.

Agata accarezzò il viso piatto e baffuto di Alberto, poi lo fasciò nella carta di giornale e piazzò il pacchetto sopra altre cianfrusaglie di una cassa stracolma. Il primo e l'ultimo trasloco della sua vita era composto da altre casse identiche, ceste di vimini intrecciati, valigie di cartone e sacchi di tela. Aveva arrotolato le sue sculture dentro vecchie lenzuola.

Chissà se nella casa nuova avrebbe ancora scolpito? Aveva imparato guardando Alberto, con le sue mani d'oro, e aveva continuato a farlo quando lui non c'era piú. Era un modo per sentirlo vicino, ma ormai si sentiva troppo stanca.

Suo figlio l'aveva convinta a vendere, e forse era la scelta giusta. Con l'esproprio ci avrebbero rimesso e comunque il lago non si poteva fermare. Presto quella casa sarebbe stata abbracciata dalle acque, inghiottita dai flutti.

Inoltre il fracasso del cantiere era diventato insopportabile. La strada del Toc procedeva spedita e faceva tremare la terra e i polsi delle persone.

Era ora di accettare la sconfitta. La vita va avanti. Indietro non si torna. Eccetera eccetera.

Ago stava per interrogare la nonna su un intricatissimo capo di biancheria, quando la casa tremò sotto un botto tonante. I vetri vibrarono facendo il rumore dei denti che battono.

Agata afferrò il braccio di Ago e lo trascinò fuori. – Il terremoto! Oddio!

Ma non era un terremoto.

Un bulldozer giallo della SADE aveva colpito l'angolo di una casa che si trovava poco piú in alto della loro. Lassú le case erano ancora abitate, perché sarebbero rimaste sopra il livello del lago e non c'era bisogno di evacuarle.

L'urto violentissimo aveva sconquassato l'edificio, che in parte crollò. Il telaio di una finestra rimase a mezz'aria, tenuto su dall'unico lato ancora in piedi, e tutto intorno caddero le pietre piatte del tetto come i petali di un fiore. Dietro il veicolo, una striscia di terra nuda e scarnificata si allontanava serpeggiando verso il cantiere principale. Aveva attraversato un orto rigoglioso di cui non restava piú niente.

– È la casa di Rosa! – inorridí Ago.

– Presto, vai a chiamare Elvezio, – lo esortò la nonna. – Corri, corri!

Ago corse via, scendendo a perdifiato i ripidi sentieri che portavano al torrente, e poi da lí risalivano verso Erto o Casso. Tutti gli abitanti del posto attraversavano la valle in quel modo. Bastavano pochi minuti per passare da una parte all'altra. Con il lago non sarebbe piú stato possibile. La strada maledetta che quelli della diga stavano costruendo, la strada che tanto aveva spaventato Desidera, sarebbe stata l'unica via, e per passare da un versante del Toc all'altro si sarebbero dovuti percorrere cinque o sei chilometri.

Agata nel frattempo si arrampicò, con le sue stanche energie, fino al luogo del delitto. Gli operai erano tre. Il piú giovane era seduto sui cingoli di ferro del bulldozer e si teneva la testa tra le mani, sconvolto. Altri due erano in piedi accanto alla casa e valutavano la situazione.

– Si è fatto male qualcuno? – chiese subito Agata.

– No, signora, grazie, – rispose uno di quelli piú anziani. – Solo un grande spavento.

– Ma com'è potuto accadere?

– Il ragazzo è in prova. Ha detto che sapeva guidare...

– Io *so* guidare! – gridò il ragazzo. – È solo che su quel trabiccolo ci sono troppe leve!

– Eh, appunto, – rispose l'altro. Poi si rivolse al suo collega: – Prendi la rotella metrica che facciamo un po' di misurazioni.

Spostarono il bulldozer qualche metro piú indietro e cominciarono a misurare la casa. Il ragazzo, ignorato da tutti ma non da Agata, raccoglieva le pietre cadute e le rimetteva contro la casa, come se appoggiandole una sull'altra potesse riparare l'edificio.

– Io vi ammazzo! – tuonò Elvezio quando apparve in cortile.

– Vi ammazzo!!!

Vedendo l'orto devastato impallidí, poi notò lo squarcio nella casa e divenne rosso come un fuoco. Corse all'interno per controllare i danni.

Agostino raggiunse la nonna. – Che roba! La casa viene giú!

– *Ssst!* Non dire niente.

– Ma no, signore, non è come crede, – diceva intanto uno degli operai al povero (e furibondo) Elvezio. – Mettiamo a posto tutto, stia tranquillo!

– Ma cosa? Mettete a posto cosa?!

L'oste tornò fuori brandendo due scuri che scintillavano al sole. Aveva gli occhi iniettati di sangue e una vena sulla fronte che pulsava.

– Cosa ci facevate qui? – gridò agitando minacciosamente una delle scuri sopra la testa. – È casa mia questa!!! Qui non ci dovete stare!

Il ragazzo scappò via, mentre i due operai piú anziani fecero un passo indietro e misero le mani avanti.

– Signore, non è questo il modo, – disse uno. – Qui ci deve passare la strada. Noi abbiamo l'autorizzazione, capisce?

– Me ne frego dell'autorizzazione!!! – gridava Elvezio, a cui poteva venire un infarto da un momento all'altro. – Dovete morire male, capito? Via! Andate viaaa!!!

Gli operai indietreggiarono come cavalli spaventati.

Agata si avvicinò quel tanto che bastava per farsi sentire.

– Non ce l'avete, l'autorizzazione. Ci scommetto.

L'operaio le lanciò un feroce sguardo in tralice: – Lei non s'impicci, signora. Torni in casa a fare i bagagli.

– Cosí me la fate crollare addosso? Nossignore. Ci faccia vedere l'autorizzazione.

– CACCIA FUORI L'AUTORIZZAZIONE! – fece eco Elvezio, ormai senza controllo.

– Ma sí, è qui, è qui, – ribadí l'operaio tastandosi le tasche. – È tutto in regola. Enzo, non ce l'avevi tu? – indicò con il mento un collega.

– Posso vedere? – insistette Agata.

Elvezio respirava come un toro prima della carica.

Enzo corse al bulldozer, lo accese e ingranò la retromarcia zigzagando all'impazzata. Sentendosi tradito, l'altro operaio girò i tacchi e fuggí ma, arrivato a distanza di sicurezza, si voltò e, agitando un pugno, gridò: – Non finisce qui!

Poi corse via sulla pista tracciata dal bulldozer.

Elvezio si lasciò cadere seduto. Aveva stretto cosí tanto i manici delle scuri che non riusciva piú ad aprire le mani.

– Com'è possibile? – diceva. – Come può essere?

– Vieni, ti offro un caffè.

Scesero giú mesti e silenziosi. Agata aprí la cassa con il necessario per preparare il caffè ed Elvezio si sedette su uno sgabello. Ago li guardava dalla porta e non osava dire una parola. Non aveva mai visto nessuno cosí rovente di rabbia, e la cosa lo spaventava e lo confondeva.

– È incredibile, – ribadí Elvezio. – Vengono in casa nostra

ma fanno come fosse casa loro. C'era un dannato bulldozer nel mio orto. Un bulldozer. Sulle zucchine!

– Dev'essere stato un errore, – disse Agata cercando di trovare un senso dove non c'era. – Non avevano nessuna ragione di essere lí.

– Ma infatti. Pensavo che non avrei avuto grane perché la casa è in alto, non finirà sott'acqua come la tua... cioè, come le altre. Agata fece finta di nulla, ma fu come se le avessero dato uno schiaffo.

– Invece è un incubo. Sono cinquant'anni che faccio quell'orto, ho cominciato con mio papà che mi ha insegnato tutti i segreti e le astuzie. E adesso c'è un solco nudo. Un solco al posto dei miei ricordi.

– No, Elvezio, quelli non te li possono portare via.

– Magari i ricordi no, ma il futuro sí. Questa storia sembra quella di Osvaldo, anche lui non doveva mica andare via. Lo sai cos'hanno fatto all'Osvaldo Carrara?

Agata aveva paura a chiederlo.

– Quelli usano la dinamite, – proseguí Elvezio. – E le esplosioni gli hanno danneggiato la casa. Io l'ho vista, c'è una crepa che parte da sotto e arriva fino al tetto. Un pezzo di muro è tutto sbilenco... insomma, la casa è andata.

– Non oso pensarci. E chissà che spavento.

– Sí, ma questo è niente! Senti qua: la sindaca ha dichiarato inagibile la casa dell'Osvaldo, non ci può entrare piú nessuno. Ma lui non ne ha altre e non sa dove portare la famiglia. Allora gli ordinano di andare giú in basso, alla casa della Teodora.

– Chiamala casa, è una baracca! Praticamente una stalla.

– Proprio quella! Ma visto che è vuota, perché hanno già cacciato Teodora, la sindaca gli ordina di andare a vivere lí, almeno fino a primavera, perché poi verrà sommersa dal lago.

– Vergognoso.

– Ma a lui non andava bene. Ha chiesto che gli riparassero la casa, visto che l'avevano danneggiata. E allora sai cos'è successo? Sono arrivati i carabinieri e l'hanno buttato fuori! Al freddo, con due figli piccoli!

In quel momento sentirono un'auto frenare in cortile e Agata sbirciò dalla finestra.

– Parli del diavolo...

Da una scalcinata Jeep Willys, residuato bellico abbandonato in Italia dagli americani, scesero baldanzosi i due carabinieri del paese. Gli operai della diga erano seduti dietro e li seguirono restando in disparte.

– Quelle facce non promettono niente di buono, – annunciò Agata. – Vado a vedere cosa vogliono.

– Buongiorno, signora, – disse il brigadiere, toccandosi la visiera del cappello con un dito. – Stiamo cercando Elvezio Barbacovi.

– L'oste? – ripeté Agata per prendere tempo e decidere cosa fare. – Credo che sia...

– Sono qui, – disse l'uomo facendosi avanti. – Avete saputo di casa mia? Li avete arrestati?

– Signor Barbacovi? Perfetto. Buongiorno. Non abbiamo arrestato nessuno, non ancora. Questi due uomini affermano di essere stati aggrediti da lei. Dicono che li ha affrontati con... – estrasse un taccuino dalla tasca della giacca e lesse: – ... *con due scuri e un atteggiamento bellicoso*. Conferma?

– Be', vorrei vedere lei se le buttassero giú la casa, – commentò Elvezio. E poi aggiunse: – E l'orto.

– Quindi lo ammette?

– Cosa, che ho difeso casa mia? Certo che lo ammetto. Loro non sono mica in regola, glielo chieda. Sono abusivi. Lei che ha l'autorità, li costringa a tirare fuori le carte.

Mentre i due parlavano, l'altro carabiniere era entrato in casa di Agata.

– È lui? – domandò il carabiniere alto agli operai.

– Sí, sí, è quello lí. Adesso sembra normale, ma poco fa era un diavolo.

– E qui ci sono le asce, – annunciò il terzo carabiniere, sbucando dalla cucina. – Direi che c'è tutto.

– Sí, c'è tutto, – confermò l'altro, afferrando Elvezio per le braccia. – Signor Barbacovi, lei è in arresto per tentato omicidio, porto abusivo d'arma e interruzione di pubblico servizio.

Elvezio si ribellò istintivamente e ritirò le mani, ma il carabiniere fu svelto e gli fu subito addosso, gli torse il polso e lo costrinse a inginocchiarsi. Poi gli mise le manette di ferro.

– E adesso c'è anche la resistenza all'arresto, – disse, mentre controllava che le manette fossero ben strette.

– Ma cosa fate? – domandò Elvezio. – Sono loro quelli da arrestare. Loro!

Agostino, che aveva assistito alla scena senza fiatare, sentí un rimescolio di ribellione nella pancia.

– Ha ragione Elvezio, lui non ha fatto niente di male!

– Calmo, Ago, – lo trattenne la nonna. Ma poi si parò davanti ai carabinieri con un fuoco negli occhi che quelli ebbero paura di scottarsi.

– Il signor Barbacovi ha ragione, – dichiarò. – Non c'è stata nessuna aggressione. Io c'ero.

– C'era? Allora prendiamo le sue generalità. Sarà citata come testimone. È facile che il processo si terrà a Belluno, per cui si tenga libera e pronta.

– Processo? Belluno? – ripeteva Elvezio. – Ma state scherzando? C'è un errore!

Lo caricarono sulla Jeep e lo portarono via mentre gli operai annuivano sollevati.

– Nonna, cosa gli succederà? – chiese Ago in apprensione.

– Finirà in prigione?

Agata, rimasta con i suoi fuochi e le sue ceneri, scosse la testa.

– Non lo so, Ago. Non lo so.

Grazie al cielo, alla fine, gli operai non sporsero denuncia ed Elvezio Barbacovi poté tornare a casa con una semplice ammonizione. Ma senza la casa sul Toc: quella l'avevano buttata giú mentre lui non c'era. Il tracciato della strada passava proprio su quel terreno, e poco importava che il proprietario non ne sapesse nulla.

La SADE continuava come aveva sempre fatto, fuori dalla legge, come i conquistatori che razziano e distruggono.

Ma la gente, adesso, non ne poteva piú. Il Vajont era pronto a ribellarsi.

19. «LA SADE SPADRONEGGIA MA GLI ERTANI SI DIFENDONO»

Il fascismo non conosce idoli, non adora feticci: è già passato e, se sarà necessario, tornerà ancora tranquillamente a passare sul corpo piú o meno decomposto della Dea Libertà.

Benito Mussolini,
dall'articolo *Forza e consenso*, 1923

La sala da ballo era gremita di gente, ma nessuno era lí per far festa.

Intere famiglie di nonni, figli e nipoti – a volte c'erano anche i bisnonni o i pronipoti – si erano radunate tutte insieme. Venivano da Erto, da Casso, dal Toc, da San Martino. C'era tutta la valle.

Qualcuno aveva portato un lungo tavolo e lo aveva sistemato in un angolo. Il notaio Soccal lo usava per riordinare certi incartamenti. Di fronte al tavolo, come tanti soldati, erano schierate file e file di sedie pieghevoli, tutte già occupate da una folla nervosa e agitata.

Agostino sgusciava in quella foresta di gambe alla ricerca di Rosa, ma era troppo basso e non vedeva niente.

Sul prato di fronte alla sala da ballo era asserragliata altra gente che cercava di entrare. Si allargava attorno all'edificio e sbirciava dalle finestre.

C'erano anche i carabinieri, con quel loro fuoristrada sgangherato. Guardavano chi entrava e segnavano i nomi. L'elenco dei partecipanti poteva tornare utile.

A un certo punto arrivò un camioncino per il trasporto del bestiame da cui scese Giovanni Martinelli, un vecchio del paese solido come una roccia. Aveva fatto la Prima guerra mondiale e aveva combattuto con onore, e nella Seconda aveva aiutato i partigiani. Era uno che non si tirava mai indietro e che quando dava la sua parola potevi star certo che l'avrebbe mantenuta.

Martinelli sganciò il portello posteriore del camioncino e fece scivolare fuori due pannelli di legno dipinto. Sul primo era scritto *Abbasso la SADE*; sul secondo *Abbasso il governo*.

– Guarda un po' quello lí, – berciò uno dei carabinieri.

– Guarda i cartelli.

– Se le cerca proprio, eh! Andiamo.

I due si piazzarono davanti a Martinelli e indicarono i pannelli con il mento.

– Questi non vanno bene. Li deve dare a noi.

Martinelli non rispose.

– Sono eversivi, – aggiunse il brigadiere.

La scena era piccola, ma attirò subito l'attenzione. La gente si avvicinò per vedere cosa stesse accadendo.

– La mia è una protesta pacifica, – rispose Martinelli, che conosceva perfettamente la differenza tra guerra e pace. Le varie cicatrici sul suo corpo lo dimostravano. – Pacifica e giusta.

Uno dei carabinieri afferrò i cartelli e cercò di strapparli dalle mani di Martinelli, ma l'uomo era forte come uno stambecco, muscoli asciutti e abituati alle durezze della vita montanara. Nonostante gli sforzi dell'agente, i cartelli non si mossero.

– Non li può portare dentro, – spiegò il brigadiere, cercando di trovare una soluzione che non li facesse apparire due totali imbecilli.

– E perché, che male fanno? – domandò Martinelli. – Non portano certo rovina, come i bulldozer della SADE che straziano la mia terra senza averne il minimo diritto. Loro fanno come vogliono mentre io non posso neanche scrivere un cartello. È questo che mi state dicendo?

– Senti, asino d'un montanaro, – sibilò il carabiniere. Tirava i cartelli con tutte le sue forze, ma non si muovevano di un millimetro. Peggio di tutto, stava facendo una figura tremenda di fronte alla popolazione. – Se non molli i cartelli, ti denuncio per resistenza a pubblico ufficiale!

Fu a quel punto che si fece avanti una donna. Dritta e fiera come l'accetta pronta a scassare il tronco, si piazzò accanto a Martinelli e sorrise.

Tina Merlin, quando sorrideva, sapeva tenere sulle spine. Perché a volte era il sorriso della dolcezza, e a volte il sorriso della stoccata.

– Dagli quello che vogliono, Giovanni, – disse, posando una mano sulla spalla possente di Martinelli. – Crederanno di aver vinto. E invece, grazie a loro, tutti hanno letto i tuoi cartelli e hanno capito che sono importanti. Questi signori ti hanno fatto un favore senza neanche saperlo.

Martinelli scoppiò a ridere. Gli piaceva quella donna lí. Bella e dal sorriso d'incanto, ma dura e senza peli sulla lingua. Si vedeva che aveva combattuto, si sentiva che aveva la giustizia dentro. E anche lui che leggeva poco, gli articoli della Merlin non se li perdeva mai.

Aprí le due morse che chiamava mani e lasciò che i carabinieri caricassero i cartelli sul loro fuoristrada. Il legno doveva essere pesantissimo perché, pur essendo in due, fecero fatica persino a spostarli.

La gente esplose in un caloroso applauso per Giovanni e il suo coraggio. Era diventato un eroe. Il raduno indetto per la difesa della valle ertana era iniziato sotto il migliore degli auspici.

La riunione vera e propria cominciò con una lunga introduzione di un politico di Belluno che nessuno aveva mai visto al Vajont. Nonostante la sua prosopopea soporifera, non riuscí a spegnere il clima frizzante che si era acceso dopo lo scontro di Martinelli.

Ago aveva finalmente individuato Rosa, e piano piano le si era avvicinato. Non la vedeva dall'incidente del bulldozer, quando era andato a chiamare Elvezio.

Rosa era accaldata. Non portava il solito fazzoletto sui capelli, che erano liberi di viaggiare come lucertole per le spalle e la schiena.

– Ciao, – bisbigliò Ago sfiorandole un braccio.

– *Ssst!* Lasciami sentire, – rispose lei senza guardarlo.

– Volevo solo parlarti un attimo.

– Sí. Magari dopo.

– Va bene.

Dietro di loro un uomo prese la parola per dire che lo Stato avrebbe dovuto difenderli e invece li aveva lasciati soli. – O peggio, – aggiunse, guardando i carabinieri che dal fondo della sala tenevano d'occhio la situazione.

Poi qualcuno raccontò la storia di Osvaldo Carrara, quello a cui avevano distrutto la casa.

– Non gli hanno nemmeno dato la legna per scaldarsi! E cosa siamo, bestie?! Adesso l'Osvaldo vive come un profugo di guerra, con la moglie e due figli piccoli!

– È un'indecenza! – gridò una donna dalle retrovie.

– Che si vergognino! – aggiunse una vecchia signora che poco prima aveva affermato disinvolta che lei, ai ladri, sparava con il fucile.

Quando si alzò Martinelli, tutti tacquero di colpo.

– Io l'ho detto subito: se lo bagnate, il Toc viene giú. Quella non è una montagna. È un mucchio di sassi che sta su perché è asciutto. L'acqua mangerà la base, scaverà buche e renderà tutto instabile. Se lo bagnano, il Toc viene giú. Ma qui nessuno ci ascolta.

Scoppiò un altro applauso che sgorgava dal cuore.

Allora prese la parola Tina Merlin, e tutti tacquero di nuovo, perché quando la Merlin parlava, diceva le cose vere.

– Il signor Martinelli ha ragione. La stessa cosa è successa qualche mese fa con la diga di Pontesei, a cinque chilometri da qui. Sempre la SADE, sempre l'ingegner Semenza. Lí è morto solo il guardiano della diga, Arcangelo Tiziani, ma poteva andare molto peggio.

– Io lo conoscevo, Arcangelo! – esclamò un uomo. – Era un brav'uomo. Non lo hanno mai ritrovato.

– E prima di Pontesei è successo con il lago tra Pieve di Cadore e Domegge! – continuò Tina. – Il paese di Vallesella era un incanto, faceva bene agli occhi. Ci siete andati di recente? Sembra un malato sul letto di morte. Le case non sono agibili, in giro non c'è piú un'anima. L'acqua ha eroso la pancia della montagna, scavando caverne profondissime che poi

135

collassano. Le case sono tutte crepate. C'è una riga nera che taglia in due il paese e fa paura. Prima di attraversarla gli abitanti si fanno il segno della croce. A un certo punto si è persino aperta una buca nella piazza. Non si vedeva il fondo! – Questo è successo anni fa, – osservò un signore ben vestito dalla prima fila. – La SADE non ha pagato i danni? – Danni? Invece di pagare i danni si è offerta di fare un lavoro di restauro che ha fatto pietà! In economia, ovviamente, sicché lassú non è cambiato niente. E tutto questo, tutte queste disgrazie, dopo che i nostri signori e ingegneri hanno blaterato che c'erano i permessi e i certificati e le firme del governo! Ma perché nessuno si è degnato di interpellare la gente del posto? Perché nessuno ha chiesto ai montanari, a voi, notizie sulla montagna e i suoi comportamenti? Questa gente si riempie la bocca di parole, ma non si degna di ascoltare chi conosce la montagna da una vita!

Gli uomini e le donne del Vajont ascoltavano con gli occhi bagnati il calore di quella donna che non voleva lasciarli soli. Lei non aveva paura dei conti e dei carabinieri. Non bisbigliava le cose, le gridava a gran voce, perché tutti sentissero, e non dimenticassero.

Intanto, dal suo angolo, Agostino tornò all'attacco.

– Rosa, senti, possiamo parlare?

– Non adesso.

– Volevo dirti che mi dispiace per tuo papà.

– Ah, bene.

– Mi dispiace davvero, è stata un'ingiustizia.

– Ma insomma, vuoi star zitto?

– È solo che... sei arrabbiata con me?

– Certo che sono arrabbiata. È colpa tua se hanno arrestato mio padre.

– Mia?! Ma io l'ho solo chiamato perché vi stavano buttando giú la casa!

– E certo, ma tu lo sai com'è fatto quando si arrabbia. Non farebbe male a una mosca, e però fa un sacco di scene. Eppure l'hai chiamato lo stesso e hai lasciato che facesse quella scenata. Se ci fossi stata io non sarebbe successo niente.

Ago ci rimase male. Che cosa ne poteva lui, se i grandi facevano cose senza senso? Mica li poteva comandare come si comanda un bambino.

– Adesso vai, – disse lei.

La discussione era chiusa.

– Ma insomma, cosa possiamo fare noi? – sbottò Elvezio prendendo la parola. – Io ho provato sulla mia pelle il potere di quella gente. Sono ricchi e i politici fanno comunella, probabilmente prendono le mazzette. Ma noi non abbiamo niente, giusto qualche vacca e qualche cucchiaio di legno. Come possiamo combattere? Dobbiamo imbracciare i fucili?

Tina si alzò in piedi perché tutti la vedessero.

– Niente fucili, niente pistole! – gridò, scandendo le parole.

– Non siamo piú in guerra. Forse a quei tempi era tutto piú semplice. Anzi no, semplice non lo era per niente. Ma era diretto. I tedeschi erano nemici e per difenderci era accettabile tutto. Ma adesso c'è la Repubblica, con le sue leggi e le sue regole. E noi non siamo criminali.

– Ma se anche i ministri sono amici della SADE! – sbottò un contadino con le mani grandi come zappe.

Tina annuí. – Se i vertici sono corrotti non c'è niente da fare. Il fascismo era cosí, infatti. Ma adesso il fascismo non c'è piú.

– Non sembra, – osservò il contadino.

– Sapete cosa ho imparato dal piú grande partigiano mai vissuto? Che non ci possiamo aspettare che le altre persone decidano per il nostro bene. Se ci allontaniamo dalle istituzioni, se non partecipiamo alla vita pubblica, allora non ci possiamo lamentare se poi ci derubano e ci ingannano. È come se gli avessimo dato il permesso.

Il contadino restò zitto. Tutti, in verità, erano zitti e la ascoltavano con attenzione.

– Quindi niente fucili, niente bombe. Quello che serve è questo Comitato. Un ente ufficiale, che rappresenti i vostri interessi, che faccia rumore, che si faccia vedere! L'Italia intera deve sapere cosa accade qui. E a quel punto i politici non potranno piú ignorarvi, non potranno piú far finta di niente. La democrazia sta soprattutto nella forza del popolo, non nei suoi rappresentanti.

Molti dei presenti si voltarono verso i due carabinieri, che non si erano persi una parola e presto avrebbero dovuto riferire su cosa si era detto in riunione. Poveretti, sembravano spaventapasseri.

A quel punto intervenne il notaio, che presentò l'atto di costituzione del Comitato e spiegò che chi voleva partecipare doveva firmare. Firmarono tutti.

Quella sera Tina tornò a casa scossa da un'eccitazione febbrile. Era la testimone di un evento importante nella vita degli abitanti del Vajont, bravi uomini e brave donne che meritavano una vita felice, e doveva fare onore alla sua professione di giornalista. Loro non potevano parlare? Ebbene, lei sí.

Batté a macchina un articolo che diede fastidio a molti. Titolo: *La SADE spadroneggia ma gli ertani si difendono*. Scatenò un gran giro di telefonate rabbiose, sottili minacce, ordini perentori. Tina era fiera del suo lavoro, orgogliosa di schierarsi al fianco del Vajont, e contro un giro d'affari che distruggeva le vite degli altri.

Il mattino seguente il brigadiere dei carabinieri di Erto si sedette al suo tavolaccio e compilò una denuncia per turbativa d'ordine pubblico.

Titolare della denuncia: Clementina Merlin, giornalista.

20. Non sarà la fine del mondo

In un mondo dove il profitto è al primo posto, la bontà è un atto rivoluzionario.

Tina Merlin

– Papà, hai un momento? Ti devo parlare.
Carlo Semenza alzò gli occhi dalla lettera che stava scrivendo. Suo figlio era in piedi davanti alla sua scrivania. Da quanto tempo era lí?
L'ingegnere posò la penna e si appoggiò allo schienale imbottito della poltrona. Era nel suo studio di Venezia, nel palazzo della SADE. Negli anni era riuscito ad arredarlo come voleva. Soprattutto la poltrona. Ci poteva stare seduto tutto il giorno senza che gli venisse male ai lombi. Ci sarebbe morto felice, su quel sedile.
– Certo, dimmi.
– Ho completato la mia relazione sulla diga, ma ho pensato che volessi vederla prima degli altri.
Semenza sorrise. – Addirittura?
Suo figlio gli passò i fogli e l'ingegnere li prese e poi fece ruotare la poltrona perché la luce li illuminasse per bene. Quanto la adorava!
Edoardo Semenza era un giovane e brillante geologo. Aveva la bellezza della gioventú e di chi trascorre molto tempo all'aria

140

aperta. Pur essendo estremamente competente e affidabile, ancora non si era conquistato clienti importanti. Del resto c'era tempo, come diceva suo padre.

Mentre leggeva, Carlo Semenza cominciò ad avvertire un sottile pungolo alla base della schiena. Un foglio, poi l'altro, ed ecco che il pungolo diventò una spada. Iniziò a respirare a fatica, si allentò la cravatta. Le mani tremavano e facevano vibrare i fogli.

– C'è... – disse con voce stridula. Poi se la schiarí: – C'è qualche possibilità che ti sbagli?

Edoardo scosse la testa. – È probabile che la situazione sia anche peggiore. Ho avuto enormi difficoltà, per cui oltre una certa profondità non ho potuto indagare.

Semenza esitò. – Che tipo di difficoltà?

– Ho trovato una larga zona composta da miloniti non cementate, era come scavare nel pietrisco. La trivella si bloccava in continuazione perché i pozzi franavano. Ho perso sei punte da trivella e quattro carotatrici. Non c'è stato verso di riportarle su. E c'è una cosa che mi ha spaventato.

– ...

– L'acqua lubrificante che buttiamo nel pozzo per scavare piú facilmente, hai presente?

– Certo, allaga sempre tutto intorno.

– Non sul Toc. L'acqua va giú e si disperde nel terreno come se fosse un lavandino. Subito, diretta. Non ho mai visto niente del genere.

Semenza posò il rapporto sul tavolo con lenta apprensione, come se fosse una goccia d'acqua in bilico sopra una padella rovente.

– Io sí, – mormorò.

Il figlio lo guardò in viso. – Davvero? Dove?

– Sul Toc. Ma non con l'acqua. L'ho visto fare con il cemento. Ho perso il conto di quanto calcestruzzo abbiamo pompato nella montagna, sembrava che se lo mangiasse. Non bastava mai.

Edoardo s'irrigidí. – Anche il cemento? Oh, mio Dio. Allora è davvero piú grave di quanto pensassi. Ormai mi sembra evidente: il Toc è composto essenzialmente da sfasciume, roccia finemente fratturata e permeabile. Quando il lago si sarà riempito, la montagna assorbirà l'acqua come una spugna. Lo sfasciume diventerà scivoloso e si innescherà una frana. Papà, stiamo parlando di milioni di metri cubi, un volume mastodontico. Forse... ecco...

Il padre strinse leggermente i pugni.

– Papà, si deve interrompere il progetto e bloccare tutto per fare indagini piú approfondite. Credimi, penso che... ritengo che sia davvero necessario.

Semenza si sollevò dalla sedia con lentezza, come se portasse un carico di duecento chili sulla schiena.

– Certo, quella sarebbe la soluzione ideale, – disse, controllando che la porta del suo ufficio fosse ben chiusa. Certe cose non dovevano essere ascoltate. – Ma anche la piú costosa. Non posso portare in consiglio d'amministrazione una proposta del genere. Mi riderebbero in faccia. Tanto piú che le relazioni di Dal Piaz sono molto diverse.

– Dal Piaz? Ma le ha fatte negli anni Quaranta! È cambiato tutto, adesso usiamo metodi moderni e scientifici, al confronto lui era un chiromante!

Semenza si sentí ghiacciare.

142

– Lo so, ma lui è un luminare apprezzato e stimato. Tu sei appena uscito dall'università. Lui dice di andare avanti perché la montagna è sicura, tu proponi di spendere una valanga di soldi e forse per niente. A chi pensi che crederanno?

Edoardo strinse le labbra. Non era la prima volta che sentiva un discorso del genere. Non importava a nessuno che Dal Piaz fosse l'emblema del vecchio e del vetusto. Un luminare sí, ma del passato, che aveva fatto il suo tempo e che si sarebbe dovuto fare da parte per lasciare spazio a una scienza in continua crescita. Era questo che mancava a Edoardo? La reputazione contava piú della competenza e dell'abilità?

– Faremo cosí, – dichiarò infine il padre. – Manderai la tua relazione a Dal Piaz, che la controfirmerà su mia richiesta. Lui sa come funzionano le cose. E se ti chiederà di rivedere le conclusioni, non sarà la fine del mondo. Intesi?

Edoardo raccolse i fogli della sua relazione e li rimise in ordine. – Per me va bene. Ma vorrei che ti facessi una domanda. Non voglio la risposta, papà: vorrei solo che te la facessi.

Semenza rallentò il respiro.

– Se succede qualcosa, papà, – riprese il giovane. – Di chi sarà la colpa?

Semenza mise da parte la lettera che stava scrivendo e prese un foglio pulito. Doveva avvisare Dal Piaz dell'arrivo della relazione di Edoardo e prepararlo adeguatamente.

– Non succederà un bel niente, – sentenziò, invece di rispondere. – Vedrai. Con le nostre attenzioni, non può succedere.

Appena il figlio fu uscito, l'ingegnere aprí un cassetto e ne estrasse una boccetta di pillole; con mani nervose, ne prese alcune e le ingoiò.

Sentiva dentro qualcosa, un mostro viscido che diventava via via piú grande, piú potente.

Il Grande Vajont si stava rivelando un errore, uno sbaglio colossale. «Se succede qualcosa» aveva detto Edoardo. E aveva detto bene, perché quel *qualcosa*, se fosse successo, avrebbe sterminato interi paesi, spazzato via ogni creatura vivente che avesse incontrato.

Il mostro viscido si nutriva della sua paura, per questo cresceva cosí in fretta. Semenza lo sapeva, ma voleva dimenticarlo.

Panche di legno dure come pietre, muri spogli dall'intonaco malandato, atmosfera triste e deprimente. Tutti i tribunali avevano un tratto in comune: erano tragicamente squallidi.

Lo erano i feroci e segreti tribunali militari dei tedeschi. Lo erano quelli del Comitato di Liberazione Nazionale che dovevano punire i fascisti. E lo erano anche i moderni tribunali della Repubblica. Tutti quanti avevano l'aria di un posto in cui nessuno sta volentieri.

Erano questi i luoghi in cui amava dimorare la dea bendata? O forse a volte, invece di Giustizia, sotto la benda si nascondeva Repressione?

Nello stanzone erano già tutti seduti ai loro posti, quando il giudice fece segno al cancelliere di iniziare il rituale di apertura del processo.

Tina era nervosa. Non riusciva a capacitarsi di come mai lei fosse sotto accusa invece della SADE. Erano loro a violare le leggi. E invece ecco lei sul banco degli imputati, come un'assassina.

Le sue azioni sarebbero state esaminate con cura, soppesate, valutate e giudicate. La partita era ancora tutta da giocare, ma Tina si sentiva già sconfitta. Tutti i suoi sforzi, tutto il suo impegno sembravano non aver sortito alcun effetto. Se ti impegni al massimo puoi fare tutto, le aveva detto Toni. Allora forse non si stava impegnando abbastanza? Poteva fare di più?

Quei pensieri la opprimevano. Odiava se stessa per non essere abbastanza potente da sconfiggere il nemico.

Per fortuna il giornale le aveva fornito l'avvocato. Le spese legali l'avrebbero messa alle strette, ed era proprio quello a cui mirava l'azienda. Costringerla sulla difensiva, farle spendere tempo e denaro.

Dietro Tina c'era una ventina di sedie per coloro che volevano assistere al processo. Erano tutte occupate. Molti, moltissimi ertani avevano preso la corriera alle quattro di mattina per raggiungere in tempo il tribunale. Erano lí per lei, perché le volevano bene, perché sapevano che la sua lotta era la loro.

Il giudice fece chiamare i testimoni uno per uno. Il primo era Giovanni Martinelli.

– Signor Martinelli, – lo interpellò il giudice. – La denuncia a carico della signora Merlin è di turbativa d'ordine pubblico. Mi dica, cos'è accaduto? L'ordine pubblico è stato turbato?

– È stato turbato, sí, – rispose con voce chiara e forte il vecchio montanaro. – Ma non dalla Tina, cioè dalla signora Merlin, che è persona onesta e schietta. La colpa di tutto è della SADE e dei suoi dirigenti avidi e senza scrupoli. Vessano la popolazione, che siamo noi, e non ci permettono di difendere i nostri diritti.

– Capisco, – riprese il giudice. – Ma questo articolo, secondo lei, dice il vero?

– Dice di piú del vero: praticamente predice il futuro! – quasi gridò.

– Come sarebbe?

– Deve sapere, signor giudice, che dopo la riunione del Comitato, quelli della SADE hanno provato a riempire il lago per vedere cosa succedeva. Prima o poi dovevano farlo, no?

– E quindi?

– E quindi, è subito caduto un pezzo della montagna! Glielo avevo detto, io, che il Toc andava giú appena lo bagnavano! Ma parole al vento, al vento, signor giudice!

Il giudice non credeva di aver capito. – Un momento, scusi. È andata giú la montagna? Sta parlando seriamente?

– Sí, signor giudice. Il 6 novembre, lo ricorderò finché campo. Trecento metri di bosco sono crollati nel lago e hanno sollevato un'onda che è andata a sbattere sulle case, per fortuna quelle già vuote. Non ci sono state vittime, questa volta. Ma la prossima, cosa accadrà?

Testimoniò anche Elvezio, il padre di Rosa, che mostrò le foto che ritraevano la situazione sul Toc. E fu solo il primo, perché tutti i testimoni che seguirono avevano immagini da mostrare. E piú ne mostravano, piú il giudice s'incupiva e aggrottava quella sua testa da cerbero.

Infine toccò a Tina Merlin parlare. L'imputata.

Alzandosi si sentí leggera, senza peso, come quando si sta per svenire. Ma durò un attimo, perché Tina Merlin non sveniva: combatteva.

– Signora Merlin, – la apostrofò il giudice, sfilandosi gli occhiali. – La accusano di aver provocato agitazioni tra gli abitanti del luogo. Lei cosa pensa di questa accusa?

– Dico che vorrei che fosse vero, – rispose Tina con sincerità.

– Prego?

– Vorrei davvero avere acceso i cuori di questa gente, che ha subíto e subisce angherie di ogni tipo. La vita degli abitanti del Vajont viene sistematicamente spezzata in mille maniere. Gli hanno sepolto il fondovalle, che per loro era tutto, e in cambio gli hanno dato un pugno di mosche. La strada che gira intorno al lago è fatta male e frana da tutte le parti. La diga ha dato del lavoro, sí, ma ormai è finita e gli operai resteranno quasi tutti a casa. Gli ertani sono stati scacciati, divisi, corrotti, hanno cancellato la loro memoria e le loro tradizioni. Cosa devono fare di piú? Ammazzarli?

– Si rende conto che i suoi toni sono molto aggressivi?

– Sí, vostro onore. Ma sono fermamente convinta che un giornalista debba obbedire a una sola legge: quella della verità.

Gli ertani scoppiarono in un applauso e il giudice batté svelto il martelletto.

– Ordine, ordine! – intimò. Ma aveva dipinto in volto che, se avesse potuto, avrebbe applaudito anche lui.

Poco dopo il giudice uscí e l'aula scoppiò in una festa. Gli ertani si strinsero intorno a Tina congratulandosi e facendole coraggio.

– Io l'ho visto, – disse Martinelli. – Anche il giudice era indignato per ciò che ci succede. Finalmente qualcuno ci ascolta!

Era vero. Il giudice assolse Tina con formula piena. Dichiarò che Tina Merlin aveva ragione, che la diga del Vajont era pericolosa e fuorilegge e che gli ertani erano stati abbandonati dalle autorità. Lo mise nero su bianco. Ma piú di quello, non poteva fare. Il processo riguardava Tina e solo lei. Non la SADE, non Semenza o altri. Per punire i crimini della diga sarebbe servito un altro processo, con altri imputati.

Sarebbe servito, ma nessuno lo fece.

Venne finalmente il giorno dell'inaugurazione. Il Vajont ospitò perplesso un piccolo podio sotto un baldacchino sul lato destro della valle, là dove c'era abbastanza posto per accogliere tutti gli invitati. Erano accorsi politici, industriali, gli azionisti e i dirigenti della SADE. C'erano anche i cronisti del «Gazzettino», ma solo loro. Nessun altro giornalista.

Tina non era stata invitata, ma se lo aspettava. Il Comitato aveva organizzato una protesta e gli ertani si erano presentati in massa, ma la SADE era venuta a sapere del piano e aveva innalzato delle transenne di sbarramento. I carabinieri pattugliavano la zona e superare il blocco era impossibile. La cerimonia non andava disturbata in nessuna circostanza.

Oltre agli ertani erano arrivati anche molti curiosi, attirati lí dal gigante di cemento. C'era un piemontese che non smetteva di parlare un momento. Aveva un fazzoletto annodato in testa e una barba a punta. Sembrava un pirata.

Al di sopra di tutto e di tutti, la diga spiava la valle come un occhio cieco. Lo scarico non si vedeva, ma si sentiva. Lo scroscio della cascata che scaricava nella forra era incessante, martellava le orecchie e assordava i presenti.

Sotto il baldacchino sfilò una vera e propria passerella di autorità, tutte pronte ad approfittare della visibilità offerta da quell'immane opera dell'uomo. Parlarono in tanti, quasi tutti per non dire niente, e gli applausi furono tiepidi, ma non mancarono.

L'ingegner Biadene, il vice di Semenza, fece un brevissimo intervento per ricordare la morte del conte Giuseppe Volpi di Misurata, avvenuta anni prima, e si sdilinquí in lodi sperticate per «un uomo di rara lungimiranza e generosità, un filantropo che aveva sostenuto anche la causa della Resistenza partigiana».

A quelle parole Tina Merlin, che assisteva insieme agli ertani dietro le transenne, si portò una mano al petto a proteggere il suo cuore di partigiana, come se volesse difenderlo dallo sporco che quei burattini gettavano sulla lotta per la libertà, loro che erano solo schiavi del potere. Conosceva bene la storia di Volpi e della sua donazione per comprarsi la grazia.

L'ingegner Pancini, che sul podio sembrava ancora piú piccolo e ossequioso, ebbe l'incarico di fornire gli impressionanti dati tecnici.

– La quota del coronamento, cioè il bordo della diga, è di 725,50 metri dal livello del mare. L'altezza della diga è stata aumentata due volte rispetto al progetto originale, affinché si potesse sfruttare meglio la capienza della valle. Sarebbe stato un peccato sprecare tutto quello spazio. L'altezza effettiva della diga, dal piede al coronamento, è di 261,60 metri. Ad oggi, la diga del Vajont è la piú alta diga a doppio arco del mondo!

Seguí un applauso di rito, cui Pancini rispose con uno dei suoi istintivi inchini.

– I lavori iniziarono nell'estate del 1957, – proseguí, con un tono ispirato e gesti teatrali che aveva provato allo specchio.

– Mi sembra ieri quando io e l'ingegner Semenza arrivammo sul ponte del Colomber insieme agli autocarri della ditta Torno...

– Un momento, – commentò Tina. – Come sarebbe, il '57? Non hanno cominciato i lavori nel '56?

– Sí, – confermò un pastore di Casso. – Me lo ricordo bene dal chiasso che facevano tutto il giorno.

– Hanno iniziato i lavori *un anno prima* di avere l'autorizzazione, – realizzò Tina, prendendo frenetici appunti. – Mio Dio. Un anno.

– Ah, ma quelli lo fanno sempre, – disse il piemontese che sembrava un pirata. – Non è mica una novità. Fanno i loro comodi e poi il ministero gli corre dietro!

Tina gli si rivolse con interesse. – Mi scusi, signor...

– Manfredi. Fausto, per servirla –. Il pirata mimò un baciamano, ma Tina restò impassibile.

– Signor Manfredi, lei è un tecnico?

– Io? No, che tecnico. Faccio il traghettatore sul fiume Bormida. Ma le dighe sono il mio hobby.

– È un hobby bello bislacco, – osservò il pastore di Casso. – A me mi piace le donne, per esempio.

– E che ci devo dire, sarà che vedo il fiume che scorre tutto il giorno e mi impressionano quei bestioni di cemento che riescono a tenerlo fermo.

– E cosa diceva dei permessi? – insistette Tina.

– Che quelli delle dighe son potenti, hanno i soldi e fanno un po' quello che vogliono. Non mi stupisce che anche qui abbiano cominciato un cantiere enorme senza avere l'autorizzazione. Per dire, ha mai sentito della diga del Gleno?

– Sí. È crollata.

– Giusto, nel 1923. Sono morte cinquecento persone. Il Genio Civile aveva ricevuto il progetto ed era andato sul posto per fare i rilievi e poi dare l'inizio ai lavori. E sa cos'hanno trovato? Che il cantiere c'era già, e la diga era già stata innalzata per diciotto metri!

– Come mai è venuta giú? – domandò una signora che ondeggiava per far addormentare il bambino che teneva in braccio. – Non è che succede anche a questa?

– Nah, quella del Gleno era fatta coi piedi. Hanno risparmiato sui materiali, il cemento era scadente e c'era poco ferro. Da quello che ho visto, questa qui è bella solida. Non hanno badato a spese, creda a me.

– Sarà, ma intanto un pezzo di montagna è già crollato.

– Ah, quello è un altro discorso! – disse il pirata. – Loro hanno fatto la diga, mica la montagna.

Intanto Pancini continuava a snocciolare le sue cifre, cercando di suscitare la meraviglia del pubblico ma riuscendo solo ad annoiare tutti a morte.

– Per effettuare la fondazione e le spalle, abbiamo asportato ben quattrocentomila metri cubi di roccia...

Il pirata si grattò il naso. – Poi c'è la storia della diga di Molare. Anche lí, un mucchio di morti.

– Io non voglio sentire, – disse la donna con il bambino, e si allontanò di qualche passo.

– Io invece sí, – disse Tina, che non aveva smesso un attimo di scribacchiare. – Perché le è venuta in mente la diga di Molare?

– Hanno sbagliato l'analisi geologica, – spiegò il pirata. – Hanno costruito sopra uno strato di roccia friabile, praticamente ghiaia. La diga si è staccata interamente dal monte ed è stata portata via dall'acqua. La roccia era cosí debole che l'ondata l'ha strappata via e ha scavato una fossa di venti metri, in un istante! Non si sa bene quanta gente è morta, piú di cento persone di sicuro.

Frattanto, Pancini aveva quasi finito il suo pezzo. Metà dei presenti si era addormentata, l'altra metà non c'era riuscita perché aveva bevuto caffè, ma comunque invidiava la metà che dormiva.

– E la capacità utile dell'invaso è di 150 milioni di metri cubi. Impressionante, vero?

L'applauso fu magro, Pancini fece un inchino e poi andò a sedersi, felice dei suoi dati.

L'intervento piú atteso fu quello di Carlo Semenza. Tina Merlin riuscí ad annotare il suo discorso parola per parola.

Quando un'opera è terminata, gioia e amarezza si fondono. Gioia, perché ognuno di noi può dire: ci siamo riusciti. Ma ansie, ore di fatica, e soprattutto il ricordo dei nostri compagni caduti sul lavoro, un po' di noi stessi insomma, non ci appartengono piú. Restano là, sull'opera e nel tempo, patrimonio di tutti. Trent'anni ci sono voluti per la diga del Vajont e forse piú, dal giorno che, per la prima volta, pensai alla realizzazione di questa diga che avrebbe sbarrato la stretta e profonda forra del torrente. La diga è ormai giunta al termine. Gioia e amarezza, come dicevo poco fa, sono dentro un po' a tutti noi, si smontano i cantieri, le acque del bacino salgono a poco a poco. Nuovi progetti attendono i tecnici e gli operai che hanno costruito la piú alta diga a volta e doppia curvatura del mondo. Per tanto tempo ancora, per anni, racconteranno e rievocheranno questa singolare avventura del lavoro umano e avranno il vanto di dire: io c'ero.

Seguirono molte strette di mani e complimenti. Il cane della moglie di qualcuno scappò e corse via lungo la diga. La donna sbraitava temendo che il cane cadesse di sotto, ma l'unica cosa che fece fu la pipí su uno dei lampioni.

Recuperato il cane, Semenza, Biadene e Pancini tornarono sotto il baldacchino. Il tecnico Rittmayer porse loro una scatola da cui spuntava una specie di volante di ferro verniciato d'argento. Era una valvola idraulica, come quelle usate per aprire e chiudere le condotte della diga.

– E ora, – annunciò Semenza. – Chiudiamo le paratie e diamo inizio all'invaso del lago!

Mentre Pancini reggeva la scatola, Semenza e Biadene ruotarono la valvola con gesti teatrali. La valvola era finta, ovviamente, ma Rittmayer fece un cenno convenuto ai tecnici nella sala di controllo e questi chiusero lo scarico della diga, iniziando cosí a riempire la valle.

Lo scroscio che echeggiava dalla forra si spense lentamente e i presenti si precipitarono a guardare dall'altro lato, aspettandosi di veder crescere il lago sotto i loro occhi.

Ma restarono delusi. L'acqua cominciò ad accumularsi ai piedi della diga con lentezza ciclopica. Tutto ciò che videro, dunque, fu poco piú di una pozzanghera.

Non appena possibile Semenza prese da parte suo figlio, Dal Piaz, Pancini e Biadene.

– Vi devo parlare, – disse serio. – Venite con me.

Si rifugiarono nella sala di controllo della diga. Sembrava la sala di comando di un sottomarino, con grosse vetrate alte fino al soffitto che consentivano una visione complessiva della diga, del lago e delle sue coste. Un'ingombrante consolle metallica campeggiava al centro della stanza, tutta punteggiata da indicatori, leve, levette e manovelle che servivano per aprire e chiudere le paratie di scarico o controllare la pressione dell'acqua.

Contro un muro di nudo cemento spiccava un altro mobile, che nessuno aveva mai visto prima. Era fatto come la teca di un museo, ma invece di esporre un antico cimelio, il vetro proteggeva un bizzarro aggeggio meccanico: un braccio metallico che infilzava una sfera e terminava con un pennino. La punta del pennino tracciava una linea su una striscia di carta millimetrata che scorreva lentamente da destra a sinistra.

L'operatore di turno si alzò non appena li vide entrare.

– Salve Giuliano, – lo salutò Semenza. – Si prenda una pausa. Badiamo noi alla diga.

– Sissignore, – disse il tecnico, che di fronte ai pezzi grossi della società si sentiva sempre teso come una teleferica.

– Che diavoleria è mai questa? – domandò il professor Dal Piaz indicando la teca mentre l'uomo usciva dalla stanza.

– *Questa* è il sismografo piú sofisticato al mondo, – spiegò Semenza padre. – Dopo il crollo del Toc abbiamo deciso di tenere sotto stretto controllo la situazione.

– Bene, è una buona cosa, – osservò Biadene. – Economico ed efficace, proprio come piace a me.

– Be', proprio economico non lo è stato, ma di sicuro ci sarà utile. Dobbiamo infatti prendere una decisione importante. Edoardo, vai avanti tu.

Edoardo Semenza era pallido e stanco, reduce da lunghe notti di cattivi pensieri.

– Sí, papà, – disse. – Signori, devo informarvi di un dato tragicamente reale. Ormai è evidente che la montagna crollerà. Non sappiamo quando e come, ma è certo che crollerà.

– Eeeh, quanti allarmismi! – commentò Dal Piaz. – Ci sarà qualche frana superficiale, questo certamente. Ma mica tanto di piú. Possiamo anche andare a mangiare, ora?

– No, Giorgio, non possiamo, – intervenne Carlo Semenza.

– Ormai ne sono convinto anch'io. Una frana ci sarà, ed è bene che ci prepariamo.

– Ne ha parlato con le autorità? – domandò Biadene, piú preoccupato per l'immagine dell'azienda che per l'imminente disastro.

– Certo che no. È tutto segreto. Al ministero continuiamo a mandare la vecchia perizia di Giorgio. Nessuno sospetta la reale condizione della montagna, grazie al cielo. Ma noi ne dobbiamo parlare, perché la frana potrebbe tagliare in due il lago, e allora cosa accadrebbe?

– Diamine! – esclamò Biadene. – Se crolla abbastanza roccia al centro del lago potrebbe dividerlo in due, e se viene diviso non potremmo piú sfruttare l'acqua a monte. Il Grande Vajont non avrebbe piú senso!

– Non è solo questo. Sarebbe molto pericoloso per gli abitanti di Erto, – aggiunse Edoardo con gravità. Ma venne ignorato. Non c'era modo di parlare delle crepe che si aprivano nei muri, della strada che franava quasi a ogni curva, degli alberi che si inclinavano verso valle perché veniva loro a mancare la terra sotto le radici. Quelli capivano solo la lingua delle banconote, e per questo Edoardo, con la sua buona coscienza, non riusciva a comunicare, non poteva farsi sentire.

– C'è solo una cosa che possiamo fare, – sentenziò Carlo Semenza. – Un tunnel che unisca i due laghi. Un tubo grande abbastanza da convogliare l'acqua da monte a valle, annullando il danno della frana.

Biadene sobbalzò. – Ma è una spesa enorme! E la diga è finita...

– Bisogna fare qualcosa per la gente del posto, – insistette Edoardo.

– E cosa vuoi fare, – replicò Dal Piaz, sempre piú irritato da quel giovane che credeva di saperla tanto lunga. – Non possiamo mica dirle che la montagna verrà giú.

– Infatti, non possiamo, – osservò Carlo Semenza. – Ma possiamo chiudere il lato sinistro della valle. Chiudere la strada. Mettere segnali di pericolo. Se la montagna va giú...

– *Quando*, – lo corresse Edoardo cupo.

– Sí. *Quando* la montagna andrà giú, lí non ci dovrà essere nessuno.

Edoardo rincarò: – E per i paesi? E se l'acqua spinta via dalla frana arrivasse alle case?

– Ah, ci mancava l'apocalisse! – esclamò Dal Piaz. – Sentite, io sono stufo di sentire queste storie di fantascienza. Ho fame e me ne vado.

Aprí la porta e andò via davvero.

– Vado anch'io, se permettete, – si uní Biadene. – Parleremo del nuovo tunnel con il consiglio d'amministrazione. Non saranno felici, ma d'altronde, che si può fare.

E se ne andò anche lui.

Soli, padre e figlio si scambiarono un'occhiata piena di cose che non si potevano dire.

– Papà, – mormorò infine Edoardo, posando le mani sulle spalle del padre per guardarlo negli occhi. – Papà, ascoltami. Se l'ondata supera la diga... sotto c'è Longarone. È pieno di persone lí, capisci? Migliaia.

– Lo so bene, – rispose lui. Non era seccato. Era sinceramente preoccupato. – Ma tu devi capire anche come funziona l'industria. Se continui cosí, non potrai fare carriera.

Carlo Semenza si accostò alla grande vetrata per riempirsi gli occhi di quella magnificenza. Ne aveva costruite, di dighe, ma la diga del Vajont era la piú maestosa di tutte. Eppure, di fronte a quell'opera non riusciva piú a provare orgoglio. Sentiva invece di avere perso il controllo, di avere avviato un meccanismo inarrestabile e imprevedibile. Il mostro cresceva, diventava piú grande, piú forte.

– Vedrai, tra qualche anno ripenseremo a questi giorni e rideremo di quante preoccupazioni inutili ci siamo fatti. Vedrai, figlio mio. Vedrai.

23. DISASTRI SPERIMENTALI

Dopo tanti lavori fortunati e tante costruzioni anche imponenti, mi trovo veramente di fronte ad una cosa che per le sue dimensioni mi sembra sfuggire dalle nostre mani.

Da una lettera di Carlo Semenza
all'ingegner Ferniani di Bologna

La centrale elettrica di Nove era divisa in due lunghi fabbricati bianchi a metà tra il verde di una collina e l'azzurro di un laghetto. Le molte arcate catturavano la luce e dissimulavano la tozza efficienza delle turbine e dei trasformatori che si trovavano all'interno.

Un'auto nera di grossa cilindrata parcheggiò in uno spiazzo asfaltato e vomitò fuori tre persone: un autista in livrea grigia, l'ingegner Semenza e il suo vice, l'ingegner Biadene.

Un istante dopo, un signore azzimato comparve dall'altro lato del parcheggio salutandoli ossequiosamente.

– Benvenuti, – disse, stringendo loro le mani. – E perdonatemi se vi ho convocato qui con questa urgenza...

– Non si preoccupi, professor Ghetti. Aspettavamo i risultati della sua ricerca con una certa...

– Apprensione, – lo anticipò Biadene, e Semenza annuí.

– Lo comprendo. Questo test è stato decisamente opportuno.

– Che intende dire? – domandò Biadene.

– Ve lo mostro subito. Seguitemi.

Li condusse attraverso il parco della centrale come un came-
riere mostra il tavolo agli affamati. Il parco si apriva su un
vasto prato color smeraldo, al centro del quale figurava un
laghetto stretto e lungo con il fondo di cemento bianco e i
bordi irregolari. Accanto al laghetto svettavano due cumuli
di ghiaione, fasciati in reti di canapa, e un trattorino con una
pala da bulldozer.

Mentre nella valle del Vajont il lago si riempiva al ritmo di
trenta centimetri al giorno, abbracciando e sommergendo
lentamente le case, le stalle, i pascoli, i ricordi e la vita degli
abitanti della montagna, in quel luogo lontano gli ingegneri
svolgevano esperimenti e simulazioni su un modello della
valle da tormentare a piacimento.

– Ci avete chiesto di studiare l'effetto della frana sul nuovo
lago del Vajont e con l'impegno del Centro modelli idraulici dell'università di Padova, centro che ho il piacere di di-
rigere...

– Venga al sodo, professore, – incalzò Biadene.

– Certamente. Questa è una ricostruzione in scala uno a duecento della valle del Vajont. Le gabbie di ghiaione sono la
nostra frana portatile, per cosí dire.

– Ma questo modello è completo? – domandò Biadene. – Non
vedo i paesi di Erto e Casso.

– Per questioni pratiche ci siamo fermati a quota 750 metri.
È impensabile che il fenomeno interessi quote superiori.

– Va bene, vada avanti.

– Attualmente l'acqua è al livello di massimo invaso. In pratica, il lago è pieno. Guardate cosa succede.

Il professore salí sul trattorino e accese il motore.

– Ci dobbiamo allontanare? – domandò Semenza, e il professore fece segno di no. Poi ingranò la marcia e allentò la frizione.

Il trattore si accostò a uno dei cumuli di pietre e lo spinse nel laghetto con decisione. Provocò cosí un tonfo e uno spruzzo d'acqua che tracimò dal lato opposto, dove doveva trovarsi Casso. L'onda di ritorno, spinta via dal ghiaione, formò poi due ondate. Una risalí la valle verso Erto. L'altra, piú grande, superò la diga con un balzo e si riversò di sotto, nello spazio vuoto dove doveva trovarsi Longarone.

Il professore spense il trattore e raggiunse i due ingegneri, che continuavano a fissare la superficie dell'acqua agitata e nervosa.

– Ghetti... – attaccò Semenza leccandosi le labbra. Improvvisamente le sentiva secche e dure. – Nella realtà, quanto verrebbe alta quell'ondata?

L'uomo esitò, per dare loro il tempo di prepararsi. Poi rispose:

– Secondo i nostri calcoli, con il lago al massimo invaso, la frana provocherebbe un'ondata di cinquanta o sessanta metri. Forse di piú.

Semenza si sentí mancare. Il prato, il laghetto, il trattore, tutto girava intorno a lui come una giostra.

– L'onda supererebbe la diga e devasterebbe Longarone. Milioni di metri cubi...

– Basta cosí, – esclamò Biadene. – Abbiamo capito. Secondo lei, quale sarebbe il livello di sicurezza del lago?

– Secondo noi è quota 700 metri. Tuttavia...

– Che c'è ancora? – disse Semenza, che si era appoggiato al trattore per non cadere.

161

– Noi abbiamo studiato gli effetti dell'onda sulla diga, ma io vi consiglierei di finanziare anche uno studio su Longarone, per valutare l'impatto sull'abitato.

– Per ora no, grazie, – si affrettò a interromperlo Biadene. – Ne sappiamo abbastanza. Quello che dovrebbe fare, invece, è redigere la relazione su ciò che ha scoperto. Naturalmente non sarebbe scientifico considerare solo l'ipotesi più pessimistica...

– Che intende dire?

– Che sarebbe più realistico e attendibile un risultato più... moderato, se capisce cosa intendo. Che metta in campo anche scenari più fiduciosi, più, come dire, gradevoli.

Ghetti annuí impercettibilmente.

– Posso farlo, – disse poi cautamente. – Ma vi raccomando la massima accortezza.

– Certamente, va da sé. Venga, Carlo, venga via. La vedo un po' pallido.

Mentre li guardava allontanarsi, il professor Ghetti si chiese se la dimostrazione avesse avuto l'effetto che sperava, e cioè quella di spaventarli a morte. Perché se lui fosse stato Carlo Semenza, in quel momento, avrebbe perso il sonno. Gli esperimenti dimostravano chiaramente che la diga del Vajont era una bomba a orologeria pronta a esplodere.

Biadene, tornato nel suo appartamento signorile di Venezia, andò a dormire tranquillo. Seguiva la regola di lasciare i problemi fuori dalla porta di casa. Il lavoro poteva aspettare il sorgere del sole.

Ma Carlo Semenza era rimasto impressionato dagli esperimenti di Ghetti. Un conto era pensare uno scenario, imma-

ginarlo; un altro vederlo dal vivo, seppure in scala ridotta.
Semenza non riusciva a dormire. Non poteva. Rivedeva la
ghiaia che franava nel lago e le ondate che si levavano tutto
intorno. E per un gioco della coscienza, ora vedeva anche le
persone, uomini e donne inghiottiti dal vortice, bambini freschi e rossi di montagna mangiati via dall'ondata di fango.
Sentí il cuore che batteva troppo in fretta e gli arrivava fin
nelle orecchie. Quando respirava, l'aria gli tremava in petto.
Nel letto sudava anche se l'aria era fresca.
Basta. Si alzò.
Prese la macchina, andò in ufficio e tirò fuori tutti i progetti
della diga, le relazioni, i rilievi. Lesse e rilesse quella di suo
figlio: quella originale, non quella ritoccata.
La cravatta lo strozzava, se la tolse. Si sbottonò anche la camicia, tanto nell'edificio non c'era anima viva.
Sembrava impossibile che toccasse proprio a lui. Quante
dighe aveva già costruito? Decine. Ed era andata sempre
bene, no?
Certo, qualche grattacapo era capitato, come a Cadore, ma era
bastato allontanare le persone, metterle al sicuro e via. Da un
punto di vista ingegneristico, tutto perfetto.
Lui sapeva il fatto suo. Aveva fatto le cose in regola. Forse
aveva tralasciato di aspettare qualche permesso, qualche autorizzazione, ma si trattava solo di burocrazia. Lo dicevano tutti
che la burocrazia seppelliva l'Italia, no? Tutti lo dicevano.
Cercava di placare la coscienza, chiacchiere su chiacchiere,
di raccontarsi la storia in un modo che lo perdonasse. Ma la
verità gridava forte dentro di lui. Piú forte di ogni giustifica-
zione. Era stato precipitoso. Precipitoso e avido. Era rimasto

163

abbagliato dalla grandiosità del progetto del Vajont e si era rifiutato di affrontare la realtà.

E invece adesso la vedeva, in tutta la sua terrificante onestà. Restava una sola cosa da fare: bloccare tutto.

Si prese la testa tra le mani. All'azienda sarebbe costato miliardi. Lo avrebbero convocato per spiegare le sue ragioni, e lui avrebbe dovuto dire la verità: che il monte Toc poteva franare. *Poteva*, un'ipotesi. Miliardi di investimenti in fumo per una faccenda che non esisteva ancora, per un problema che non si era ancora creato. Gli avrebbero messo sotto il naso la perizia di Dal Piaz, quella degli anni Quaranta, quella che lui, Semenza, aveva utilizzato per rassicurare tutti, ministero compreso. Ma la perizia non diceva la verità. Dal Piaz era perplesso all'inizio, ora Semenza se lo ricordava bene. Il progetto aveva molto spaventato il geologo alle origini, e se adesso Dal Piaz era cosí tranquillo era perché lui, Semenza, aveva lavorato di fino per tranquillizzarlo.

Ah, se solo Longarone non fosse stato costruito proprio davanti alla forra del Vajont! A chi diavolo era venuto in mente che quello fosse un buon posto per abitare?

Gli azionisti non avrebbero capito. Lo avrebbero sostituito con Biadene, che si era sempre dimostrato devoto all'azienda e che avrebbe chiuso gli occhi sperando nella provvidenza.

E allora d'improvviso Semenza capí che lui non poteva bloccare proprio niente. Il progetto Grande Vajont non si sarebbe fermato.

Lui, Carlo Semenza, sarebbe stato ricordato per sempre non come «il grande costruttore delle dighe», ma come «quello del disastro del Vajont».

Quel pensiero fu troppo per lui. Il cuore ormai impazzito, la pressione arteriosa alle stelle. Ansimava pesantemente, la vista era annebbiata, le orecchie fischiavano. Il mostro che aveva in petto tracimò e si prese tutto.

Semenza cercò un bicchiere d'acqua, ma rovesciò la lampada della scrivania. Una vena del suo cervello scoppiò, e l'ingegnere crollò con la faccia sulla relazione di Dal Piaz.

L'azienda, turbata dalla prematura scomparsa, decise di tributare un grande onore al suo fedele dipendente e gli dedicò la sua diga piú bella, la piú ambiziosa, la piú importante.

Quella del Vajont.

Agostino sedeva con le gambe penzoloni sopra un macigno in cima alla scarpata. Guardava giú con apprensione, mentre Tina arrancava su un sentiero da capre.

– Signora, ce la fa?

– Ci ho passato una vita e una guerra, sui monti, – replicò Tina. – Ho piú montagna io nelle gambe che tu nella testa, ragazzo mio.

Ago sorrise. Tina, o «La Tina» come ormai la chiamavano tutti nel Vajont, gli piaceva proprio un sacco. Era diversa da chiunque altro. Prima di tutto parlava a lui e a Rosa come se fossero adulti, senza i toni bamboleggianti che si riservano di solito ai ragazzi. Li prendeva sul serio, e ascoltava con interesse tutto ciò che avevano da dire. E poi sembrava che non avesse paura di niente, e per questo, a stare con lei, ci si sentiva forti e spavaldi e pieni di coraggio.

Ago conosceva tutti i sentieri della valle e aveva trovato il modo di superare lo sbarramento della SADE.

Il Toc era stato chiuso con reticolati e filo spinato, come una bestia in gabbia di cui bisogna aver paura. Grossi cartelli con la scritta PERICOLO INONDAZIONE mettevano in guardia i curiosi che tentavano di arrivare lassú.

Tina voleva vedere con i suoi occhi quella montagna che protestava da settimane. La pancia del Toc tossiva e brontolava come un vulcano che si risveglia. Ogni tanto tremava, anche, e i sassi e le rocce rotolavano giú a secchiate. Di notte il rombo era continuo, punteggiato da schiocchi improvvisi, il suono di qualcosa che si rompe, e da boati che facevano tremare le case. Ago saltellava davanti a Tina, che gli teneva testa senza problemi. Camminavano da un pezzo e lei non aveva neanche il fiatone. Non una volta gli aveva chiesto quanto mancava all'arrivo, che è la domanda tipica di chi non ce la fa.

– Si faccia forza, signora, – disse Ago per incoraggiarla. – Ci siamo quasi.

– Dov'era quel sasso? – ribatté Tina.

– Quale sasso?

– Quello che ho voglia di tirarti in testa.

Ago sghignazzò.

Camminarono lungo un costone tenendosi ben lontani dal ciglio, con il lago che faceva capolino di tanto in tanto, cosí azzurro che sembrava fatto di cielo. Finché Ago indicò il vuoto davanti a loro.

– Ecco, è lí.

Tina si sfilò le scarpe. Voleva avvicinarsi il piú possibile, e non era proprio il caso di scivolare in quel momento.

E cosí, la donna e il ragazzino rimasero a fissare il Vajont uno accanto all'altra. Lei alta e forte, segnata da tutte le cose che aveva vissuto; lui esile e nuovo, ansioso di tutte le cose che voleva vivere.

Da lassú, il panorama toglieva il fiato. Si vedevano bene Erto e Casso, incastonati come gemme sul lato opposto della valle. Le montagne si raccoglievano intorno a loro come a proteggerli, come se sapessero che una di loro stava per tradirli.

Ciò che non si vedeva più era il prato. Finiva all'improvviso, come cancellato da un pittore sbadato.

Con mille cautele e timori, Tina sbirciò di sotto. La montagna finiva a precipizio. Uno scivolo vertiginoso fatto di roccia frantumata e polvere entrava dritto nel lago. Era il punto in cui il Toc era franato nel corso dei lavori. Una vista desolante e senza rimedio.

– Visto che roba? – disse Ago. – Il Toc s'è arrabbiato, dice la nonna. Anche adesso ogni sera a tavola prega: «Fa' che non viene giù il Toc, fa che non viene giù il Toc». La montagna non lo vuole, il lago. Si era lamentata per giorni, nessuno l'ha ascoltata e allora lei se n'è andata giù all'improvviso. La terra ha tremato fortissimo, io me lo ricordo sa, e poi si è sentito un gran tuffo. Guardi là, si vede dove è arrivata l'acqua.

Si vedeva benissimo. L'ondata aveva artigliato il terreno e lo aveva strappato via. Le piante erano sradicate e i prati erano stati risucchiati. Restava la roccia brulla.

Agostino scoccò un'occhiata a Tina. – Senta, signora, ma lei lo sa perché succedono queste cose?

– Mi hanno detto che è colpa dell'acqua che si infiltra nella montagna, – spiegò Tina mentre si allontanava dal ciglio. – Se il Toc ha i piedi bagnati può scivolare, come quando esci dalla vasca da bagno.

Ago osservò il lago. Le onde formicolavano al vento, come se una mano invisibile le stesse ricamando tutte a pizzi.

– Ma non lo sapevano che sarebbe successo? Quelli della diga, intendo.

– Forse all'inizio no, – rispose Tina, rimettendosi le scarpe. – Ma adesso lo sanno di sicuro, e non fanno niente per impedirlo.

– La gente del Vajont lo sapeva, però.

168

– Sí. Voi lo sapevate.

– Io non capisco, – decretò Ago.

– Sai, Agostino, ci sono persone al mondo che prendono tutto ciò che possono. Arraffano e intascano come se fosse l'unica cosa che conta nella vita. Poco importa che gli altri soffrano, l'importante è che le loro tasche siano sempre ben piene.

Agostino annuí in un modo che di colpo lo fece sembrare piú grande.

– Mio fratello era un partigiano, sai? – disse Tina a bruciapelo.

– Non lo sapevo.

– È morto. Combatteva per la libertà.

Ago rimase in silenzio rispettoso.

– Ci sarà sempre qualcuno che cerca di togliere la libertà agli altri, – sentenziò Tina, ora persa nei suoi pensieri. – Che gli dice cosa devono indossare, cosa devono fare, cosa devono pensare. Qualcuno che si crede superiore, piú potente e piú furbo. Ci sono da sempre e ci saranno per sempre. Sono solo persone. Pessime, per di piú. Ma se non c'è nessuno che protesta, se nessuno si oppone ai loro soprusi, queste persone trionferanno sempre, e la povera gente continuerà a obbedire e piegare la testa. Ma la libertà non è qualcosa che ti possono dare gli altri. Se la vuoi, devi prenderla da te. E quando qualcuno prova a togliertela, tu devi lottare con le unghie e con i denti per tenerla stretta, perché senza libertà un uomo non è piú un uomo. È solo un pupazzo. O uno schiavo.

– Il vecchio Giulio dice che a ribellarsi ai potenti si rischia la pelle. Che non ne vale la pena. Ma io non credo che sia cosí. Vale la pena ribellarsi, vero?

Gli occhi di Tina si fecero lucenti. – Questa è la domanda

sbagliata. La domanda che devi farti è: vale la pena vivere una vita di oppressione e ingiustizia?

Agostino spostò lo sguardo alla montagna. Il Toc si era chetato all'improvviso. Fermo e muto, li guardava e li vedeva.

Salirono ancora, oltre un boschetto di conifere che profumava di muschio e resina. I rami riparavano dal cielo come l'abbraccio protettivo di una mamma. Era un luogo di pace, o almeno lo era stato. Se gli occhi non riuscivano a catturare niente di insolito, lo spirito era in allarme. Allenato da millenni alle necessità della sopravvivenza, in quel bosco l'istinto umano vibrava come la pelle di un tamburo.

Non c'era traccia di animali. Non piú.

Una piccola scossa di terremoto fece sibilare i rami degli alberi.

Tina si accucciò. – Attento! – disse, perché Agostino era rimasto fermo e si guardava intorno.

– Non si preoccupi, non succede niente, – spiegò lui. – La terra trema spesso, non ci faccia caso.

– Non hai paura dei terremoti?

– Certo, ma questi non sono mica terremoti. Quelli della diga hanno un semaforo che segna anche la piú piccola scossa.

– Vuoi dire un sismografo?

– Quello.

– Mi piacerebbe vederlo, ma non mi fanno entrare.

– Non fanno entrare nessuno, neanche me. Ma mio papà lavora lí e mi ha raccontato tutto. Dice che ogni tanto qualche scossa c'è, ma che non bisogna preoccuparsi. I capi hanno parlato con il ministero. In diga sono tutti tranquilli.

– Forse è per quello che hanno messo il filo spinato, – osservò Tina. – Per stare tranquilli.

– Non so, – rispose Ago, e poi si fermò. – Ecco, siamo arrivati.

Molti alberi, alti o bassi, piccoli o grandi, erano inclinati verso valle, con le radici nude che artigliavano l'aria. Era come se un gigante vi si fosse sdraiato per schiacciare un pisolino.

– Guardi lí dietro, – disse poi Ago. – Che roba, eh?

Il bosco era ferito, squarciato da una lunga spaccatura, la bocca socchiusa di una montagna imbavagliata.

– Cavolo, mi sembra anche piú grande, – disse lui sporgendosi sulla fenditura. – Di un bel po'.

– Quando sei stato qui l'ultima volta?

– Una settimana fa o giú di lí. Andavo per funghi con la nonna, ma lei è rimasta piú in basso. Non ha piú le gambe di una volta. Ma non le dica che gliel'ho detto.

– Fin dove arriva questo crepaccio?

– Va avanti un bel po', – disse lui, guardando la fenditura che si perdeva tra gli alberi. – Da qui va fino al rio Massalezza, e via fino al Pinnacolo, la vecchia torre che è crollata. Poi torna giú verso il lago.

– E quello cos'è? – disse Tina, indicando un paletto giallo che spuntava un po' piú avanti.

– Ah, l'hanno messo quelli della diga. È una luce. Papà dice che le stanno mettendo lungo tutto il taglio del terreno, cosí riescono a vederlo anche di notte. Una grande M di luci.

Tina annuí pensierosa. – Tu hai paura, Ago?

Ago raccolse un ramo da terra e cominciò a punzecchiare un cespuglio.

– Rosa dice che quelli della diga sono tutti farabutti e

che dovrebbero smontare tutto e andare via. Penso che ce l'abbia anche con mio papà, perché non mi parla piú. Ma comunque qui c'è pericolo, è chiaro, e infatti hanno messo le reti e i cartelli. A Erto invece non c'è niente, vuol dire che non c'è pericolo. E poi, lo so che quelli della diga hanno fatto le truffe eccetera. Però la diga è proprio bella, l'ha vista? Mi piacerebbe costruire cose cosí magnifiche e forti, un giorno.

Il rombo di un motore li interruppe. Da una curva spuntò una piccola carovana di autocarri della SADE. Portavano uno strano carico. Invece dei soliti materiali da costruzione c'erano persone sedute sulle spondine. Persone e masserizie caricate come meglio si poteva. Su alcuni erano stipate anche le vacche, che muggivano terrorizzate. In coda al convoglio c'erano dei carretti stracarichi che, vacche a parte, trasportavano le stesse cose.

Sembravano sfollati che fuggivano dalla guerra, quelli a cui le bombe avevano distrutto le case e gli averi.

Tina riconobbe i membri di una famiglia che aveva partecipato alla formazione del Comitato e li fermò per chiedere cosa stava accadendo.

– Ci mandano via, – rispose una donna, che cercava di trattenere le lacrime. Non voleva che i suoi figli la vedessero cosí. – Dopo l'ultima scossa le case non sono piú abitabili. Sono crollati i balconi, i tetti sono sbilenchi. Viene giú tutto da un momento all'altro. Abbiamo caricato quello che abbiamo potuto e speriamo di poter tornare a prendere il resto. La strada è sempre peggio. A volte ci si blocca nelle fenditure che si aprono di minuto in minuto. Signora Merlin, vada via, qui viene giú tutto.

25. L'ispezione ministeriale

Avevano rimosso il corpo di Semenza da non piú di mezz'ora quando l'ingegner Alberico Biadene prese possesso dell'ufficio.

Gli era sempre piaciuto quel posto. La scrivania di mogano con la lampada tiffany di vetro colorato, gli stucchi elaborati del soffitto, il grande tappeto persiano che ammorbidiva i suoni dell'edificio. E poi le finestre, le grandi finestre che guardavano il Canal Grande.

Quello era l'ufficio di un uomo arrivato. E lui, Alberico, era arrivato.

Gli dispiaceva sinceramente per la fine di Semenza. Non era stato solo un capo per lui. Era stato un mentore, una guida e, arrivava a pensare, un amico.

Ma nelle aziende, a volte, si fa carriera come in guerra: sulle disgrazie altrui.

Qualcuno bussò alla porta.

– Avanti!

Pancini si presentò con un fascio di carte sottobraccio.

– Buongiorno, ingegnere! – (Inchino). – Congratulazioni per la promozione.

– La ringrazio, ingegnere, ma date le circostanze non so se sia il caso...

– Certo, lo comprendo. Ma le assicuro che sono sincere. Purtroppo la diga richiede la nostra urgente attenzione e non c'è tempo di piangere i morti.

Proprio come in guerra.

– Mi dica.

– Ho saputo che dal ministero stanno organizzando un'ispezione. Vogliono controllare la situazione a seguito delle manifestazioni della montagna.

Biadene annuí con fare professionale. – Seguiamo il solito protocollo. Contatti l'agenzia di viaggi per prenotare il miglior albergo di Cortina. Poi chiami il catering per la cena in terrazza qui, in sede. Il Canal Grande fa sempre una grande impressione. Dovremo anche trovare un qualche omaggio. Il solito orologio mi sembra cosí banale!

– Sissignore! – (Inchino). – Solito protocollo. E per la diga?

– Per la diga cosa?

– Dovranno vedere anche la diga.

Biadene pareva colto alla sprovvista. – In diga ci staranno poco, però ha ragione lei. Aumenti il livello dell'acqua fino a coprire la frana. Non fa una bella figura.

– Benissimo, signore. Vuole dunque dare un'occhiata alla relazione che stiamo per inviare? La useranno come base per l'ispezione.

– Certo, ingegnere, da adesso in avanti voglio controfirmare ogni comunicazione con il ministero. Facciamo le cose per bene, d'ora in poi! Ecco, vede qui? Lo sapevo.

Pancini si accostò per controllare quale fosse l'errore.

– Qui lei scrive che il movimento franoso sembra aggravarsi. Ma le pare il caso?

– Be', è cosí, i dati ci informano che sta accelerando di giorno in giorno e...

– Ma cosí me li spaventa! I tecnici ministeriali sono persone semplici e ansiose. Hanno bisogno di rassicurazioni, altrimenti metteranno il naso dappertutto. Corregga cosí: «Il movimento franoso denota una certa tendenza ad aumentare». Fa tutta un'altra figura, non crede?

– Certo, ingegnere, come vuole lei –. (Inchino).

– C'è altro?

– Sí, ingegnere. Il tecnico Rittmayer ha chiesto il trasferimento a Venezia. È un bravo ragazzo, con noi fin dall'inizio. Io sono favorevole al trasferimento, magari con una promozione.

Biadene scosse la testa.

– Non mi sembra il caso, Pancini. Con quello che sta accadendo lassú, ci serve qualcuno con esperienza e conoscenza della diga.

– Ma se lo merita...

– Allora facciamo cosí, conceda il trasferimento ma non fissi la data. Quando le cose saranno piú tranquille lo faremo venire qui, magari con la promozione che caldeggia. Le va bene?

– Sí, ingegnere, – rispose Pancini, ma quella risposta gli aveva risvegliato qualcosa dentro. Se Rittmayer aveva paura, se voleva scappare dalla diga, che diritto aveva l'azienda di tenerlo lí? Era facile prendere le decisioni da Venezia, lontano dalle montagne e dai pericoli. Ma chi proteggeva chi stava in prima linea?

– Adesso vada. E mi tenga aggiornato su tutto. Arrivederla, ingegnere.

– Arrivederla. E ancora congratulazioni.

L'ispezione ministeriale avvenne puntuale, e puntualmente somigliò piú a una gita scolastica che a un controllo severo e accurato da parte di tecnici che non avevano nessuna ragione di fidarsi dell'azienda che stavano controllando.

La SADE, per non affaticare troppo i suoi ospiti, forní loro una relazione precompilata su ciò che avevano visto. Meglio non lasciare spazio al pensiero libero, chissà quanti problemi poteva causare.

Dopo aver visto ciò che stava accadendo sul Toc, Tina si sentiva turbata, frustrata e ansiosa. Com'era possibile che nessuno si muovesse? Com'era possibile che si fosse arrivati fino a quel punto?

Il disastro era imminente e nessuno faceva niente per impedirlo. Cominciò a battere a macchina descrivendo ciò che aveva osservato. La spaccatura che si allargava a vista d'occhio, gli alberi inclinati a causa dello slittamento del terreno, i suoni impossibili che provenivano dal cuore della montagna. E mano a mano che scriveva si sentiva sempre piú forte, sempre piú veloce, e le parole erano pugnali con cui uccideva le bugie. Parlò dell'assurda atmosfera che si respirava in valle e solo in valle, perché fuori nessuno sapeva nulla. Le persone che, riunite per la cena, pregavano che non crollasse il Toc. Gli sfollati che cercavano rifugio da amici e parenti, i dirigenti della diga secondo i quali era tutto normale, andava tutto alla grande. E intanto l'aria si faceva elettrica, in valle, come quando si cova tempesta.

L'articolo che scrisse era duro, un pugno in faccia. Catastrofico e vero come la realtà. Il titolo parlava già chiaro: *Un'enorme massa di 50 milioni di metri cubi minaccia la vita e gli averi degli abitanti di Erto.*

Dopo meno di un giorno, il caporedattore del giornale la chiamò.

177

– Tina, sei impazzita?! – tuonò nella cornetta. – Che articolo mi hai mandato?

– Ho riportato la verità, – rispose Tina tranquilla. – Nuda, cruda e terrificante, cosí come l'ho vista con i miei occhi.

– Ma hai scritto che il Toc può venire giú da un secondo all'altro, che una frana immensa sta per precipitare nel lago con effetti apocalittici e che la SADE se ne frega e tira dritto. E ti sembra una cosa che possiamo pubblicare? Almeno hai un geologo o un tecnico che possa rilasciarci una dichiarazione? Qualcosa di ufficiale.

– Non parla nessuno, lo capisci? Hanno troppa paura, sono tutti sotto ricatto. Ma io paura non ne ho! Mi assumo ogni responsabilità per ogni singola frase di quell'articolo.

– Un articolo cosí scatenerà il panico. La gente scapperà, ci saranno proteste, disordini. Una denuncia non ti è bastata? Guarda che stavolta il processo lo perdiamo e finiamo tutti in galera!

Tina non cedette. – Qui c'è di mezzo la vita di migliaia di persone. Persone che sono state abbandonate, che non interessano a nessuno. Hanno bisogno di noi, devono sapere la verità! A cosa serve un giornalista, se non a raccontare le cose che succedono davvero e farle sapere a tutti?

– Senti, – il caporedattore cercò di ritrovare la calma. – Tina, lo sai come funziona. Uno ti fa una dichiarazione e noi la pubblichiamo. Non si fanno i giornali con le opinioni dei giornalisti. Ci vogliono i fatti. Se la montagna viene giú, è un fatto. Se un geologo ti dice che la montagna sta per venire giú, è un altro fatto. Ma se una giornalista dice la stessa cosa non ha nessun valore, lo capisci o no? Torna con una dichiarazione, e poi forse pubblichiamo l'articolo.

– Forse?

Il caporedattore sospirò. – Ascolta, Tina. Io non ho intenzione di perdere il lavoro o chiudere il giornale. Ti basti sapere questo.

Tina si sentí ribollire il sangue. L'aveva cercata a lungo una dichiarazione, ma gli unici disposti a parlare erano quelli che non ne sapevano niente, i montanari che temevano il ruggito della montagna anche senza una laurea in geologia.

Quelli che sapevano non parlavano. Quelli che parlavano sapevano, ma non venivano ascoltati.

Forse, però, conosceva qualcuno che la poteva appoggiare.

Tornò a Erto verso sera. Le stradine erano intasate dalle famiglie che andavano via. Lí non c'era un'ordinanza di sgombero, ma molti andavano via lo stesso. Ormai la paura dilagava.

Tina lasciò la Cinquecento fuori dal paese e raggiunse l'osteria del Becco Giromino a piedi.

Il locale era pieno e i clienti erano quasi tutti operai della SADE. Elvezio aveva messo in piazza un paio di tavoli per ricavare qualche posto a sedere in piú. Tina vide subito le persone con cui voleva parlare. Prese una sedia e si accostò al loro tavolo.

– Permettete?

– Venga, signora Merlin! – disse Guido, il piú vecchio. Era carpentiere, un vero maestro del calcestruzzo. – Si accomodi.

– Grazie. Non c'è piú posto e ho una fame boia. Ho camminato tutto il giorno sul Toc.

– È andata fin lassú?

– Che roba, ragazzi, c'è da aver paura.

Gli operai tacquero.

– Ma come mai siete venuti in paese? Hanno sfollato anche la mensa aziendale?

179

– No, quella no, – rispose un altro operaio. Era Davide, molto piú giovane di Guido e infatti ancora apprendista. – Ma in mensa le scodelle ballano sui tavoli. Fa un po' impressione.

Gli altri lo guardarono sorpresi e lui stesso capí di essere andato un po' troppo in là.

– Cioè ci sono scosse di terremoto? – incalzò Tina.

Silenzio.

– Be', è comprensibile, – riprese lei con solidarietà. – Le vostre baracche sono vicine alla diga e al lago, mi sembra il posto piú pericoloso di tutti.

– Ha... ha sentito di Pancini? – domandò un uomo alto e dritto come una stecca da biliardo. Era Plinio, scavatorista, un ometto con due mustacchi piú grossi di lui.

– È andato in ferie, – si affrettò a puntualizzare Guido. – In America.

– Il direttore della diga? – chiese Tina.

– Già, – confermò Guido. – È arrivato l'ordine di svuotare il lago, ha firmato un po' di carte, poi ha preso e se ne è andato.

– Quindi state svuotando il lago?

Davide annuí.

– Scusatemi, – s'intromise Rosa con due piatti in mano e altri due in bilico sugli avambracci. – È pronta la pappa.

Serví loro la salsiccia con le patate che avevano ordinato e raccolse l'ordinazione di Tina: bistecca ai ferri.

– Sembra una fuga, – osservò Tina con noncuranza, riportando il discorso sul direttore dei lavori.

– Sembra proprio una fuga, – sottolineò Guido per dar forma a un sospetto che avevano tutti.

– Ma la situazione com'è? Quella vera.

– C'è chi dice una cosa e chi un'altra, – disse Guido con diplomazia. – Alcuni nostri colleghi hanno organizzato una specie di festicciola serale per assistere alla frana. Sarà un evento unico e irripetibile e loro se lo vogliono godere. Hanno anche installato un faro per illuminare il Toc e non perdersi nulla neanche dopo il tramonto.

– Una... festicciola?

– Eh.

– Sono senza parole, – ammise Tina.

– Anche noi, – disse poi Davide. – Quelli lí sono toccati nella testa. Ma è per dirle che non c'è quest'aria da fine del mondo.

– Ma voi, voi quattro dico, cosa ne pensate?

Gli operai si rilassarono un poco. In realtà erano contenti che qualcuno chiedesse la loro opinione, che qualcuno li considerasse una voce da sentire.

– Be', Pancini era uno che la situazione la conosceva bene... – osservò Guido.

– Sembra *proprio* una fuga, – ribadí Plinio facendo vibrare i mustacchi.

Tina rivolse a tutti loro un'occhiata intensa. – Ascoltate, ho bisogno del vostro aiuto.

Gli operai si chinarono verso di lei con complicità. Era una bella donna, una donna intelligente di cui i padroni avevano paura. E lei era lí a parlare con loro. Aveva addirittura bisogno del loro aiuto.

– Io posso scrivere un articolo, – spiegò Tina. – Avvisare le persone ed evitare che si facciano male o peggio. Mi potete fare una dichiarazione ufficiale? Anche senza nomi, mi basta poter scrivere «gli operai hanno paura», oppure «le scodelle della mensa ballano».

Seguí un silenzio imbarazzato.

– Il fatto è, – cominciò Guido, – che se diciamo una cosa del genere perdiamo il lavoro.

– Matematico, – fece eco Davide.

Tina si alzò e puntò i pugni sul tavolo. – Ma ragazzi, qui ci vuole un po' di coraggio! Io lo capisco, davvero, che avete paura dell'azienda. Ha preso di mira anche me, lo sapete. Ma qui si parla di una cosa grave, di un crimine che se accade è come un assassinio di massa. Assassinio, capite? E se siamo arrivati a questo punto è proprio perché chi doveva parlare non ne aveva convenienza. Se nessuno si alza in piedi, se nessuno protesta, allora chi li ferma, quelli? Continueranno a fare le loro porcherie, perché tanto non ci sono conseguenze!

Ancora silenzio. Finché il quarto operaio, che fino a quel momento era rimasto zitto e muto, ingollò un sorso di birra e fece rotolare il boccale vuoto sul tavolo.

– E che diavolo, se nessuno parla, parlo io! – gridò, mentre tutti nel locale si voltavano a guardarlo. – Mi chiamo Mirco, e faccio l'idraulico. Lo scriva pure, non m'interessa. Glielo dico io cosa sta succedendo: la montagna viene giú, *sta già* venendo giú. Ho visto il sismografo in sala comandi che salta come un disco rotto. L'ultima scossa era del quinto grado della scala Mercalli. Ma gli ingegneri truccano i dati, li camuffano e fanno finta di niente! La montagna cade, è sicuro. C'è solo da sperare che non ammazzi nessuno.

182

Era il 9 ottobre 1963. Quella sera il centralino di Longarone brulicava di movimento come un cesto di granchi vivi.

Tante le chiamate tra la diga e Venezia, alla SADE; tantissime quelle tra Longarone e le baracche degli operai che, dopo la fine dei lavori di costruzione, dovevano rimanere lí per la manutenzione.

La giovane Betulla, che proprio a Longarone aveva la sua casa, era di turno. Aveva dovuto portare con sé il piccolo Pericle, un fagotto di otto mesi e due giorni, perché non aveva trovato nessuno disposto a guardarglielo mentre lei lavorava. Per non disturbarlo mentre dormiva, gli aveva tolto un calzino e lo aveva infilato nel campanello di chiamata del centralino.

– Centralino, – annunciava Betulla con tono professionale ogni volta che qualcuno doveva fare una chiamata. Poi metteva in contatto il chiamante con la destinazione desiderata e restava in attesa della chiamata successiva.

A volte controllava se le chiamate erano ancora in corso inserendosi sulla linea. Se era muta, poteva togliere il contatto. Se invece si sentivano ancora le voci degli utenti, allora doveva scollegarsi e aspettare ancora. In quel mestiere era normale ascoltare frammenti di conversazioni altrui. Parole casuali e senza contesto che non significavano nulla.

Ma non quella sera.

183

«Tu mi lasci vedova!»

Betulla staccò subito il contatto come se avesse preso la scossa. Non solo perché lei, Betulla, era vedova da poco. Ma perché a parlare era stata la moglie di un operaio che era di turno alla diga, e che lei conosceva bene. La donna era estremamente agitata e la voce vibrava di terrore. Betulla non sapeva di cosa stessero parlando, né cosa avesse risposto il marito, e per un istante pensò di rimettersi nella comunicazione e ascoltare il resto. L'uomo era malato? Stava facendo qualcosa di rischioso? ... C'entrava la diga?

Il campanello del centralino trillò ancora facendola sobbalzare.

Era un'altra chiamata dalla diga.

– Centralino, – recitò Betulla con voce chiara.

– Mi passi Venezia, per cortesia. La SADE. Il numero è...

– Non c'è bisogno. Conosco il numero. Attenda, prego.

Betulla inoltrò la chiamata e poi mise in comunicazione i due utenti. Stava per togliere lo spinotto ed escludersi dalla linea quando pensò che, forse, lassú c'era qualcosa che non andava. E che, forse, sarebbe stato meglio ascoltare, perché lei ci viveva, in quei posti, e sapeva che attorno alla diga aleggiava un pericolo misterioso e grande.

Tutte le centraliniste, prima o dopo, per noia o per curiosità, ascoltavano di nascosto le telefonate dei clienti.

Betulla lo fece per necessità.

– Venezia in linea, – annunciò, con la voce leggermente incrinata dall'emozione. – Parli pure.

– Biadene, è lei? Sono Rittmayer.

– Mi dica, Rittmayer, perché mi chiama a quest'ora?

– Ingegnere, mi aveva detto di avvisarla se fosse successo qualcosa. Qui la frana si muove a vista d'occhio. Accelera. Qui casca tutto, andiamo in malora!

– Rittmayer, si calmi. A che quota è l'invaso?

– Settecento virgola zero quattro.

– Vede? È la quota di sicurezza.

– Devo aprire le altre paratie? Acceleriamo lo svaso, cosí se va giú c'è meno acqua?

– Ma non dica fesserie! Se apre i rubinetti, a Longarone si spaventano. Vuole il panico? No, no, vada avanti cosí.

– ... Non sarebbe meglio avvisare qualcuno? Evacuare la gente?

– Rittmayer, le ho già detto che siamo in quota di sicurezza. E consideri che se diamo l'allarme sarà come prendersi la responsabilità.

– Come vuole lei, ingegnere, ma se vedesse quello che noi vediamo qui...

– Rittmayer, dorma tranquillo. Ma dorma con un occhio solo. Buonanotte.

– Buonanotte.

La bocca di Betulla si mosse prima del cervello.

– Ingegner Biadene, è ancora in linea? – mormorò.

– Eh? Ma... chi parla?

– La prego di scusarmi per l'interruzione. Sono la centralinista di Longarone. Senza... senza volerlo ho sentito la telefonata e volevo chiederle se per caso non ci fosse pericolo per il paese. Devo avvisare qualcuno?

Seguí un impercettibile istante di esitazione, un soffio. Poi:

– Signorina, ripeto anche a lei che non c'è nessun pericolo.

Gran parte del nostro personale vive a Longarone. Non le basta come prova?

– Sí ma io... ecco, ho un bambino piccolo. E ci sono tante altre famiglie nel mio paese, anche tanti bambini, capisce, e...

– Dorma tranquilla. Lei e i suoi bambini. E congratulazioni.

Biadene tolse la comunicazione, ma non il dubbio che ronzava in testa a Betulla.

La giovane rifletté un istante e poi chiamò la caserma.

– Carabinieri, – disse una voce maschile.

– Centralino di Longarone. Sono Betulla.

– Betulla! Sono Franco. C'è il comando in linea?

– No, ecco... veramente è una chiamata personale.

– È successo qualcosa?

– Non so come dirtelo... Ho bisogno di un consiglio.

– Dimmi tutto.

– Ho ascoltato una strana telefonata tra la diga e un dirigente della SADE... Lo so che non si fa, ma una chiamata cosí a quest'ora mi ha fatto paura.

– Hai fatto bene, – tagliò corto il carabiniere. Anche lui voleva saperne di piú. – Cos'hanno detto?

Betulla riferí ciò che aveva ascoltato.

– Ho capito, – disse lui pensieroso.

– Cosa devo fare? Avviso ufficialmente le autorità? Chiamo amici e parenti, e gli dico di scappare?

– Betulla, tu mi hai fatto una confidenza e io te ne faccio un'altra, intesi?

– Prometto.

– Stanotte ci hanno fatto chiudere le strade. Ci sono dei posti di blocco per fermare il traffico in ingresso in questa zona.

– Cosa?

– La SADE ha detto che stanotte potrebbe straripare un po'
d'acqua dalla diga, che è previsto e che non dobbiamo spa-
ventarci. Non ci hanno ordinato di evacuare Longarone, eh!
Stai tranquilla. A dirla tutta anzi, era chiaro che non volessero l'evacuazione. Tu hai ascoltato illegalmente una conversazione. Se lo dici perdi subito il posto. È vero o no?

– Sí, è vero, ma...

– E se fai scappare la gente e poi non succede niente è anche
reato. Si chiama procurato allarme. È grave, sai?

Betulla sentí che non doveva cedere. – E allora?

– E allora niente. Fai quello che ritieni piú sicuro, ma non
fare niente di ufficiale.

– Ma sei sicuro? Franco, se frana la diga succede... non ci voglio neanche pensare a cosa succede.

– Senti, Betulla, facciamo cosí. Adesso faccio una chiamata al
comando per controllare gli ordini. Spero di trovare qualcuno
con un po' di testa, che cosí magari si sblocca qualcosa.

– Va bene. Grazie, Franco.

– Grazie a te. E, Betulla...

– Sí?

– ...

– Sí, Franco?

– Niente. Stai in guardia.

Erano già le 22, il centralino doveva chiudere.

Betulla si sentiva uno strano sfrigolio nella pancia, una sensazione che le era capitata solo due volte nella vita: prima del
matrimonio e prima della nascita di Pericle. In entrambi i
casi, aveva anticipato grandi dolori e sofferenze. E poi Franco

non era stato chiaro: prima le aveva detto di stare tranquilla, e poi di stare in guardia. E allora lei cosa doveva fare?

D'istinto prese in braccio il bambino, chiuse l'ufficio e camminò via svelta, a testa bassa. Era una serata limpida, faceva fresco ma non troppo, e per le strade la gente passeggiava quietamente. Betulla cercò di non incontrare gli occhi di nessuno. Se qualcuno l'avesse fermata, anche solo salutata, sarebbe esplosa e avrebbe raccontato tutto. Ma nessuno la notò, e lei raggiunse la sua casa.

Si trovava in una posizione rialzata rispetto a Longarone, aggrappata come una mantide alle pendici di fronte alla forra del Vajont. Betulla aveva già le chiavi in mano, e però di colpo decise di non fermarsi. Proseguí in salita alla ricerca di una vista migliore, con le chiavi che tintinnavano appese al suo dito nervoso. Magari da lassú avrebbe potuto farsi un'idea piú chiara della situazione. Poteva bastare un'immagine rassicurante a placare la sua ansia. Continuò a salire per vedere meglio, per vedere di piú.

Fu allora che cominciarono i tamburi. Gli schiocchi, i tonfi, i rombi.

Era il tuono che scendeva dalla montagna.

E, subito dopo, il lampo.

Quella notte, la notte in cui le stelle chiusero gli occhi per non guardare, la notte in cui Rosa confessava ad Agostino che da grande sarebbe diventata una naturalista, e Agostino la ascoltava con gli occhi caldi stringendo sottobraccio un regalo che solo lui sapeva – quella notte la montagna mise fine ai desideri degli uomini.

Erano le ventidue e trentanove del 9 ottobre 1963.

Dopo avvisi senza fine e strazianti grida d'aiuto, alla fine il Toc crollò con un botto che fece tremare mezzo Veneto.
Duecentosessanta milioni di metri cubi di rocce, terra, erba, alberi, strade, case e disgrazie si tuffarono nel lago alla folle velocità di cento chilometri orari provocando l'effetto di una bomba atomica.
Il lago esplose, proiettando attorno ondate alte quanto un grattacielo e sparando macigni come colpi di cannone.
Erto venne in parte protetto dal costone roccioso del monte Salta, ma le frazioni vicine furono investite in pieno e spazzate via nel tempo di un niente.
L'onda raggiunse Casso, 250 metri più in alto, e lo colpí come lo schiaffo di una mano colossale. L'acqua sfondò i tetti e i solai, fracassò le finestre, entrò nelle case e annegò

ciò che vi era dentro, cose e persone. Poi risucchiò tutto nell'abisso nero.

Gli operai del cantiere, giú in basso, erano riusciti ad assistere al momento del distacco della frana. Ma pochi secondi dopo il grande tuffo, pure il cantiere venne annichilito, e con esso tutti i vivi.

L'acqua tornò giú, ma dove prima c'era il lago adesso c'erano i resti del monte Toc. Quindi non poté fare altro che scavalcare la diga e riversarsi nella forra del Vajont, verso Longarone.

Iniziò con un rombo basso che sembrava provenire da ogni luogo. Era il tuono che strisciava giú dalla montagna come il rullare ossessivo e crescente di milioni di tamburi da guerra. Era un suono impossibile, mai udito prima, che non aveva senso e attanagliava i cuori per scassarli di terrore.

I bambini erano già a letto, ma per le strade di Longarone camminavano ancora tante persone. Tante. Fidanzatini che prendevano un gelato, impiegati che avevano fatto gli straordinari, turisti giovani e vecchi che si godevano il fresco della sera, tifosi di calcio che erano andati al bar per guardare l'attesissima partita Real Madrid-Glasgow Rangers.

Tutti sentirono i tamburi, se li sentirono dentro fin nelle ossa, tutti provarono la stretta di terrore che paralizza e annichilisce la ragione.

Poi arrivò il lampo che illuminò a giorno la valle, e tutto piombò nell'oscurità piú fonda. Erano crollati gli elettrodotti che scavalcavano il Toc, togliendo la luce elettrica e la speranza.

I tifosi, sorpresi dal blackout, uscirono dai bar, cercando di capire cosa stesse succedendo.

– È il terremoto! – gridò qualcuno.

– No, è crollata la diga! – urlò qualcun altro.

– Oh, mio Dio!

Alcuni cominciarono a correre, ma dove? Dove si poteva andare per sfuggire al pericolo? L'acqua sarebbe arrivata dal Vajont, quindi lí non si doveva andare, ma quale posto era sicuro? E ancora: quanto tempo avevano? C'era la possibilità di correre a casa per avvisare la famiglia, per salvare gli amori, i genitori, i figli, per portare via i nonni e gli animali? Correre da loro e rischiare di morire, o scappare via lasciando tutti in mano al destino?

Luca aveva ventitre anni ed era molto intelligente. Gli bastò sentire il tuono per capire. Calcolò che per andare a casa ad avvisare i suoi ci sarebbero voluti almeno sei minuti, un tempo che non aveva. Poteva solo sperare che anche loro comprendessero il messaggio della montagna e fuggissero senza aspettarlo. Scappò in collina, cercando di salire il piú in alto possibile, e mentre correva gridava a piú non posso: – La diga! La diga! Scappate in alto! In alto!

Poi iniziò il vento, che non era piú vento ma un ruggito fatto di rabbia e rancore, che stracciava a morsi i coppi e i comignoli dai tetti, che sbriciolava le porte e distruggeva le finestre sparando le persiane come proiettili mortali. Era un vento che scaraventava via le automobili e sradicava gli alberi, che entrava in bocca e strappava via il respiro.

Giorgio aveva cinquant'anni e faceva il commerciante di mobili. Decise di tornare a casa per portare via i suoi. Venne colpito da una porta che schizzava giú dal cielo e morí sul colpo.

Cinzia e Piero erano al loro primo appuntamento. Mentre fuggivano vennero spinti giú per la scaletta di una cantina. Decisero di aspettare lí che il vento si placasse, ma fu un errore fatale.

L'aria si bagnò, miliardi e miliardi di goccioline d'acqua che colpivano tutto ciò che trovavano sulla loro strada. Era una pioggia orizzontale che portava con sé il fiato mortale dell'oltretomba.

Il dottor Galizzi aveva fatto visita a un paziente di Castellavazzo che al telefono gli era sembrato moribondo, ma che poi non aveva niente. Un viaggio a vuoto, quindi, ma il dottore era uscito di casa volentieri, perché era una bella serata e gli andava di fare un giretto con la sua nuova Alfa Romeo. Mentre rientrava verso Longarone sentí l'auto che gli scappava da sotto il sedile e lo sterzo diventare leggero. L'auto si sollevò come una foglia nel ciclone e sparí nel buio, ingoiata dal nulla.

Oliviero e Beniamino erano due fratelli di sette e nove anni. Si svegliarono di soprassalto quando le finestre della loro camera gli si schiantarono addosso. Cercarono di liberarsi, di uscire, via via! Ma le schegge trafiggevano i piedi e la schiena. Non fecero in tempo a scappare.

Il vento diventò acqua e uscí dal Vajont come un muro di settanta metri d'altezza, compatto e mortale.

Il primo impatto fu con il Piave, che trafisse scavando un buco di quarantasette metri. Le rocce del letto del fiume schizzarono via come le schegge di una granata.

L'acqua proseguí, potente e veloce, colpendo il paese come il pugno di un gigante. Strappò le case come fili d'erba, sbriciolò la terra, sradicò strade e ferrovie.

Portò via tutto. Tutto.

Oggetti, animali, vite.

S'infranse con violenza brutale contro la collina di fronte, proprio sotto gli occhi atterriti, svuotati, di Betulla e del piccolo Pericle, di Luca e dei pochi fortunati che erano riusciti a spingersi fuori dalla portata delle acque.

Poi, dopo avere seminato distruzione, l'acqua si ritirò come la risacca trascinando con sé terra, fango, detriti e corpi umani.

La prima ondata aveva ucciso.

La seconda seppellí.

Quattro minuti. Erano bastati quattro minuti per cancellare l'esistenza di millenovecentodieci persone.

Tutti noi abbiamo il tempo contato. Abbiamo una data di scadenza segreta e viviamo la nostra vita facendo finta di non saperlo.

Forse, se conoscessimo il giorno e l'ora della nostra morte, faremmo scelte diverse. Non accetteremmo quel lavoro noioso per fare qualcosa che rende meno ma ci fa piú felici. Ci sposeremmo prima, o non ci sposeremmo affatto. Fuggiremmo all'estero, cambiando nome. Cercheremmo l'amore, e una volta trovato non lo lasceremmo scappare.

Oppure ci farebbe impazzire la consapevolezza del tempo che scorre, gli attimi che passano per non tornare piú. Resteremmo rannicchiati nel letto, con gli occhi chiusi e le orecchie tappate, contando i respiri e chiedendoci che senso abbia tutto quanto.

Ma noi non possiamo sapere quando moriremo, sappiamo solo che succederà. Perché morire è il destino di tutto ciò che è vivo. Il destino è quel che ci accade al di fuori del nostro controllo. È il caso, la fatalità, la sfortuna o la buona sorte. Il destino è ciò che ci fa nascere in un igloo, oppure in un ospedale bombardato, che ci rifila malattie incurabili o ci rende ricchi grazie a un'eredità inaspettata.

È stato il destino a far crollare la montagna? O non furono forse decine di scelte, a volte grandi, a volte piccole, prese nell'arco di trent'anni, che si sommarono una all'altra per costruire il disastro perfetto, la trappola da cui non si poteva scappare?

Sarebbe bastato prendere una decisione diversa una sola volta, imboccare l'altra strada al bivio. Scegliere, invece della direzione sbagliata, quella giusta.

La SADE avrebbe potuto costruire la diga sotto Erto, o costruirla piú bassa, come era previsto nel progetto originario. Invece di nasconderle, avrebbero potuto pubblicare le indagini geologiche e gli studi idraulici. Avrebbero potuto avvisare la popolazione invece di fare finta che tutto fosse sicuro. Avrebbero potuto giocare secondo le regole invece di infischiarsene, controllare con severità invece che lasciarsi corrompere. E quando fosse stato ormai chiaro che il lago era pronto a provocare il crollo della montagna, avrebbero potuto, dovuto, rinunciare al progetto.

Quante vite umane servono per ottenere un buon profitto?

Nel Vajont, millenovecentodieci.

È questa, la morte?
È perdere contatto con il corpo e galleggiare nel buio in una bolla
di pensiero? È arrivare all'ultima pagina di un libro e scoprire che
qualcuno l'ha strappata e il finale non c'è? È quella, la morte? La
pagina che manca, le cose lasciate in sospeso, le parole non dette, i
gesti non fatti. Quando vuoi respirare ma non puoi, e vuoi guardare
ma non sai come. È allora che sei morto? Ma allora è troppo presto,
non è giusto, perché io sono ancora qui. Il dolore c'è ancora, io lo sento
forte, tutto dentro come un uovo. Lo devo covare? Lo devo spaccare?
C'è la mia vita, nel guscio?
Rosa vomitò senza provare il minimo sollievo. L'acqua sporca
le era entrata fin nel sangue e spingeva per uscire. I polmoni
bruciavano. Respirare era come ingoiare aghi. Aveva freddo,
un freddo intenso, estremo e totale. E caldo, caldo bruciante,
assoluto, soffocante. Fuoco e ghiaccio insieme.
I conati erano violenti e brutali, la scuotevano cosí forte che
Rosa non riusciva a controllarsi. Non capiva in che posizione
fosse, se sdraiata o seduta, se a testa in giú oppure appesa a un
albero con gli arti dondolanti.
Non vedeva nulla, ma le sembrava comunque che tutto gi-
rasse intorno a lei. Non sentiva nulla eccetto un fischio continuo e monotono. Un orecchio le faceva un male lancinante,
ma cosa non le faceva male, in fondo?

Avrebbe dato tutto pur di far cessare quel dolore.

Di colpo si rese conto che aveva qualcosa, addosso. Le premeva la faccia e il petto, era sopra di lei? Non capiva.

Provò a scuotere la testa, ma non ci riuscí. Il corpo non funzionava piú come prima. Si rese conto di avere la faccia in una pozza di fango e di riuscire a respirare solo perché la testa era girata da un lato, appena fuori dal pelo dell'acqua.

Rotolò su se stessa per mettersi supina e fu come se ogni singolo osso del suo corpo venisse segato.

Cos'era successo? Perché si trovava lí?

Non ricordava nulla. Sotto le mani sentiva bagnato. Era fradicia come dopo un acquazzone. Aveva qualcosa su un piede. Con cautela piegò la gamba e lo toccò. Era uno scarpone. Uno dei suoi. L'altro, però, non c'era piú e poteva muovere le dita nell'aria.

Il suo corpo venne scosso da un accesso di tosse. Sputò qualcosa, forse era un dente.

Aveva nausea, si toccò la pancia e scoprí di essere nuda.

Poi, d'improvviso, ecco, una scintilla di ricordo.

La diga di notte sotto le stelle.

Le luci sul Toc.

La mano di Agostino.

Agostino.

Che la abbracciava.

La proteggeva.

Cercò di guardarsi attorno, ma vide solo fango.

Il grido della terra e dell'acqua non aveva lasciato nient'altro.

Il fuoco crepitava alto nel buio, e nugoli di scintille volavano via come lucciole ubriache. Quattro individui si stringevano intorno al fuoco. Si conoscevano, ma non si consideravano amici. Stavano in piedi, come se volessero prendere e andarsene da un momento all'altro. Ciascuno di loro aveva bisogno di un po' di spazio per sé, perché quello che era accaduto non era una «tragedia collettiva», come l'avrebbero chiamata poi, ma un dolore personale, intimo e segreto.

– Buttacene ancora, – disse una donna che portava un giaccone militare sulle spalle. – Fallo piú alto. Ci devono vedere da lontano.

Accanto a lei sedeva una signora tutta vestita di nero con uno scialle infeltrito stretto intorno al collo. Teneva gli occhi chiusi e le dita strette a un rosario invisibile. Mormorava una litania che nessuno capiva, ma era una voce e tanto bastava a dar conforto. Un uomo con le braccia possenti e una camicia di flanella prese un paio di tronchetti da una catasta di legna e li gettò sul mucchio. Il gesto fece scintillare una piccola scure che si era infilato nella cintura dei pantaloni. Era l'unico oggetto che aveva preso prima di scappare, la cosa che sapeva usare meglio e che considerava una compagna di vita.

– Vacci piano, – mormorò un vecchio che oscillava sulle gambe come se fosse su una barca. – Deve durare tutta la notte. Se si spegne prima dell'alba, sono guai.

Il falò illuminava un anello di prato, che come tutti i prati della valle era leggermente inclinato verso il Vajont. Dopo il disastro si era sollevata una nebbia polverosa che non permetteva di vedere altro. Solo prato.

– E se fossimo gli unici superstiti? – disse di punto in bianco la donna con il giaccone militare. – E se non fosse rimasto piú niente?

Il boscaiolo fece un gesto di poca importanza. L'onda gli aveva strappato la moglie dalle braccia: lui sapeva già che non era rimasto piú niente.

– Diga stramaledetta, – sibilò il vecchio. – Che possano morire tutti!

– Saranno morti davvero, – rispose la donna. – Le baracche degli operai sono in basso. Se l'acqua è arrivata a Casso, significa che le ha prese in pieno.

– Be', se lo meritano, – sibilò l'anziano. – Hanno fatto di tutto, *di tutto* per arrivare a questo!

– Gli operai non ne hanno colpa, – ribatté il boscaiolo. – Sono vittime come noi.

Gli schiocchi del fuoco e il mormorio delle preghiere punteggiavano quella notte irreale.

– Cosa ne sarà di noi adesso? – domandò la donna.

Il vecchio incassò la testa nelle spalle. – Se i paesi sono stati distrutti, non li ricostruirà nessuno. E se è rimasto in piedi qualcosa, se ci sono degli altri sopravvissuti, sarà nuovo dolore da spartire. Erto e Casso si svuoteranno, le vecchie pietre saranno le uniche a testimoniare ciò che eravamo. La nostra vita sarà un monumento alla nostra morte.

Il boscaiolo si sedette a terra e si coprí gli occhi con le mani. Le lacrime gli facevano brillare le guance e i singhiozzi, via via sempre piú forti, cosí simili al pianto onesto e generoso di un bambino, strozzavano la gola e le emozioni dei presenti.

– *Ssst!* – sussultò la donna scrutando nella buia nebbia. – Avete sentito?

– Cosa?

198

– Io non ho sentito niente.

– Una voce, – insistette la donna. – O forse dei passi.

Dal buio arrivò una specie di respiro raschiante, poi un gemito.

– A-aiuto...

Il boscaiolo dimenticò le lacrime, prese un bastone infuocato dal falò e, sollevandolo come una torcia, camminò in direzione della voce.

Si trovò davanti un affarino pallido come un fantasma, che avanzava zoppicando con uno scarpone solo. Era tutto ciò che indossava. Gli occhi erano cerchiati e fissavano il fuoco. Non vedevano altro.

– È una bambina! – esclamò l'uomo correndole incontro. Gettò la torcia e la prese in braccio, portandola subito vicino al fuoco. La donna si sfilò immediatamente il giaccone e lo spiegò a terra accanto alle fiamme.

– Mettila qui, – disse, lisciandolo con le mani.

Depositarono la bambina come un oggetto prezioso. Lei si guardava attorno spaurita, cercando di mettere a fuoco i visi.

– Lo so chi è, – disse il vecchio. – È la figlia dell'Elvezio, l'oste di Erto.

– Allora anche Erto è stata colpita! – osservò il boscaiolo.

– L'acqua è arrivata anche laggiú!

– Abbiamo dell'acqua? – domandò invece la donna. – Acqua pulita, da bere.

Si guardarono tra loro sentendosi degli idioti. Chi poteva pensare che dopo un disastro causato dall'acqua si potesse aver bisogno di altra acqua per sopravvivere? Nessuno ne aveva. Né acqua, né cibo. Si doveva aspettare il mattino.

La donna si inginocchiò accanto a Rosa, le accarezzava il volto e le sfregava le mani per riattivare la circolazione. La bambina continuava a fissare il fuoco, il buon fuoco caldo che forse poteva scioglierle quel ghiaccio che aveva in pancia e dirle se era viva o morta.

– Ma come è arrivata fin quassú? – si chiese il boscaiolo. – Da qui a Erto saranno due o tre chilometri, al buio e in questa nebbia micidiale. Se metti un piede in fallo finisci giú.

La bambina non parlava. A malapena si muoveva. La donna le chiuse il giaccone intorno e le portò le mani al petto per farglielo tenere chiuso, cosa che la bambina fece meccanicamente.

– Mio figlio... – li riscosse la voce di una madre. – Mio figlio...

Di nuovo, l'uomo in camicia corse incontro alla sopravvissuta. Era completamente fradicia e la gonna le si era attaccata alle gambe impastando i movimenti.

Il boscaiolo le toccò la fronte e la sospinse dolcemente al caldo.

La vecchia pregava.

30. Dove volano i corvi

Genocidio, quindi, da gridare ad alta voce a tutti, affinché il grido scuota le coscienze del popolo e il popolo, la cui pelle non conta mai niente di fronte ai dividendi dei padroni del vapore, spazzi via alfine con un'ondata di collera e sdegno chi gioca impunemente, a sangue freddo, con la vita di migliaia di creature umane, allo scopo di accrescere i propri profitti ed il proprio potere.

Tina Merlin

Le strade erano bloccate. File di veicoli colorati erano costretti sulla banchina da uno schieramento impressionante di carabinieri, polizia ed esercito. L'aria era intasata dal rombo dei grandi motori diesel e dalle incessanti sirene delle autoambulanze. Gli elicotteri dell'esercito sfrecciavano verso nord e verso sud come api instancabili.

A tutti gli svincoli principali c'erano posti di blocco. Ponte delle Alpi era l'ultimo paese raggiungibile. Soverzene, Fortogna e su fino a Longarone erano fuori portata.

Tina Merlin raggiunse il ponte sul Piave. Il fiume era gonfio e tumultuoso e trascinava con sé masse informi e irriconoscibili. Decine di persone armate di lunghe pertiche passavano le acque come un pettine, nel tentativo di ripescare i corpi.

Tina abbandonò la sua auto e si avvicinò a un camion dell'esercito che aspettava il suo turno per passare. Bussò al vetro del conducente.

– Sono una giornalista, – disse. – Devo vedere cos'è successo. Posso venire con voi?

Il soldato fece di no con la testa.

– Abbiamo ordini precisi, signora. E c'è pericolo, i civili non possono andare.

– Mi dica almeno cos'è accaduto! È andata giú la diga?

– È possibile, signora. Ci hanno detto che c'è stata una tragedia e che c'era bisogno di noi, di piú non so.

Poi chiuse il finestrino. L'avevano buttato giú dalla branda alle tre di notte, non era dell'umore per fare quattro chiacchiere con la stampa.

Tina provò a intervistare tutti quelli che trovava con una divisa o l'uniforme, ma per lo piú la scacciavano via come una mosca fastidiosa. Trovò una tenda della Croce Rossa e si avvicinò per sbirciare all'interno. Qualcuno si lamentava, altri piangevano. Dalla tenda riusciva a vedere un ragazzo sdraiato su una barella. Avrà avuto dodici anni ed era bianco come un sudario. La faccia era sporca di fango, gli abiti stracciati. Un'infermiera grande come un paracarro le sbarrò la strada.

– Non può stare qui.

– Sono Tina Merlin, una giornalista. Sto cercando di capire cos'è accaduto.

L'infermiera cambiò espressione. – Lei è la Merlin? La leggo sempre. C'è stata un'inondazione. Abbiamo raccolto molti feriti, mezzi annegati e mezzi congelati.

Tina si sentí bruciare il cuore come un tizzone.

– Quanti morti? – chiese in un soffio.

– Troppi. Ora vada, prima che si accorgano che stiamo parlando.

Alla fine, consumando le suole delle scarpe, Tina mise insieme abbastanza informazioni. Allora si precipitò nella cabina telefonica di una stazione di servizio e chiamò in redazione per dettare un comunicato. Le parole di avvertimento non erano bastate. Erano rimaste inascoltate. Ma le parole del dolore non avrebbero subíto la stessa sorte. Le avrebbe gridate fino a morire, perché il Vajont era caduto, seppellito dall'avidità degli uomini, e tutti dovevano sapere, tutti dovevano provare la rabbia e il dolore che provava lei.

Lasciò la porta della cabina aperta, perché i segreti avevano portato solo male al Vajont.

– Sono Tina Merlin, da Ponte delle Alpi! – gridò nel ricevitore con quanta voce aveva in gola. – Non ho tempo di spiegare, trascrivi ciò che sto per dire! È impossibile raggiungere Longarone a causa dei blocchi stradali. È capitato qualcosa di orribile, forse la diga è crollata. Le notizie qui sono incerte e frammentate, non c'è niente di ufficiale, niente di certo. Si parla di decine di morti, forse centinaia. Una ventata di terrore si è sprigionata dal Vajont insieme al torrente impetuoso. Venendo qui ho visto donne con i bambini morti in braccio fuggire nella notte, lontano dal Piave le cui acque sono spaventosamente ingrossate. Anche qui, a Ponte delle Alpi, gli abitanti sono fuggiti.

Passò un'autoambulanza con le sirene spiegate e Tina si tappò un orecchio per sentire cosa le dicevano dalla redazione. Nel frattempo alcune persone si erano accostate alla cabina per ascoltare il suo notiziario in tempo reale.

– Come? Quanti morti? Non si sa con precisione. Si dice che a Longarone siano state sorprese duemila persone nel sonno. Sí, duemila!

Un uomo con un gessato grigio e la faccia da topo si fece largo a forza nel capannello che ormai sommergeva la cabina.

– Ma cosa sta dicendo? Chiuda quella bocca!

Tina lo riconobbe subito: era uno dei dirigenti della SADE.

– Sa cos'è successo? – si affrettò a chiedere, allungando bene il ricevitore perché si udisse tutto. – Vuole fare una dichiarazione?

– Nessuna dichiarazione! Lei è una sciacalla! Approfitta delle disgrazie della gente, divora i loro cadaveri come un avvoltoio! Ritiri tutto ciò che ha detto.

– Ma come si permette? – sbottò Tina. – Neanche adesso ha la dignità di dire il vero?

L'uomo caricò un pugno. L'avrebbe presa in piena faccia, spaccandole il naso. Ma alcuni uomini presenti lo fermarono e lo trascinarono via.

– Bestia senza vergogna, – lo maledí uno di loro.

Un altro gli sputò sulla giacca.

– È un genocidio! – continuò a dettare Tina al telefono. – Scrivilo: GENOCIDIO. I pochi sopravvissuti lo gridano, resi folli dal terrore della valanga d'acqua e dalla disperazione di trovarsi soli e impotenti a superare una realtà tragica fatta di sassi e melma mescolati al sangue dei loro cari...

L'effetto di quelle parole si poteva vedere dalle mani delle persone che origliavano. Le donne si coprivano il volto, gli uomini stringevano i pugni tremanti di rabbia.

– Adesso provo a raggiungere Longarone. Sí, è proibito. Ma conosco bene queste zone, a costo di impiegarci delle ore ce la farò! Non abbandonerò questa gente distrutta. Lo so, farò attenzione. Richiamerò appena possibile.

Quando uscí dalla cabina, un pompiere si fece avanti e le tese la mano in un gesto istintivo e grato.

Altre persone la abbracciarono, poi un uomo secco con una tuta mimetica la chiamò da parte. Era il classico tipo che si vede nei cortili delle caserme appoggiato a un muro mentre fuma una sigaretta.

– Lei vuole andare a Longarone? Ce la porto io, se le va bene.

– Certo che mi va bene! Grazie mille!

– Badi però che non sarà comodo. Io ho un camion che non è la carrozza della regina, e lei deve stare nascosta o mi fanno il cazziatone.

– Mi va bene tutto, basta che mi faccia superare i posti di blocco.

– Allora venga.

Il soldato era lí per fare rifornimento a un autocarro militare con le ruote alte quasi quanto Tina. Sul cassone aveva un bulldozer tutto imbrattato di fango.

– Deve stare lí, – le disse indicando lo spazio tra i cingoli. – Cosí non la vede nessuno.

Era un vano angusto e lurido, incrostato di fango e denso olio motore. Era stretto come un loculo e Tina doveva entrarci strisciando.

Non perse tempo. Mise un piede sopra il paraurti del camion e si issò sul cassone, infilando la testa sotto il mezzo pesante. Il soldato la aiutò spingendola in avanti e lei si sentí come uno straccio usato per pulire il pavimento di una stalla.

– Signora, tutto bene? – chiese il soldato.

– A meraviglia.

Il viaggio fu doloroso per il corpo e per il cuore. Poco dopo i posti di blocco le strade erano allagate o invase dai detriti. Attraverso le maglie dei cingoli Tina riusciva a vedere qualcosa di ciò che le sfilava intorno, ma non riconosceva nulla. Il fiume era denso e nero. Le case disossate emergevano dalle acque come mani che implorano salvezza. Persone intrappolate sui tetti chiedevano aiuto sbracciandosi e rischiando di cadere. Vide una culla trascinata via dalle onde, non seppe dire se fosse piena o vuota. Vide auto semisommerse, ponti divelti.

Finalmente il camion si fermò.

– Capolinea, signora. Stiamo entrando a Longarone e devo lasciarla qui.

Tina cercò di strisciare fuori, ma all'indietro era veramente difficile. Allora il soldato la prese per le caviglie e la strattonò come un cassetto che non si apre.

Tina ne uscí malferma sulle gambe, ma intera. E quando riuscí a guardarsi intorno, si sentí mancare.

Longarone non c'era piú. Al suo posto c'era una distesa fangosa e desertica su cui i soccorritori arrancavano avanti e indietro come formiche.

Nulla era riconoscibile. Era un altro luogo.

Si fece forza e avanzò in quel disastro. Oltre ai militari c'erano anche molti civili. I superstiti, quelli che erano scappati o che, per un caso fortuito, non erano stati risucchiati dall'onda.

Avevano rintracciato la posizione delle loro case e avevano tracciato i confini con i rottami che erano riusciti a recuperare. E poi scavavano con tutto ciò che capitava loro a tiro. Pale, badili, assi di legno scheggiate, perfino le mani. A volte trovavano un corpo. A volte solo una parte. Un braccio con una manica. Un piede ancora nella scarpa.

E quando accadeva venivano assaliti dagli altri superstiti.

– È mio marito! – gridava una donna. – Riconosco la manica, era di una camicia che gli avevo regalato io!

– No, è mio figlio! – diceva un'altra donna. – Ne sono sicura!

E spesso finivano per picchiarsi, e doveva intervenire qualcuno per fermarle. Litigavano per avere qualcosa da seppellire, per avere una risposta, la certezza che i loro cari non c'erano piú, perché non sapere era una sofferenza peggiore del lutto.

– Non stia lí, – intimò a Tina un signore immerso nel fango fino alla vita. – È sopra casa mia! Non vede?

Tina guardò giú. Senza volerlo aveva superato il confine tracciato dall'uomo, sconfinando sulla tomba della sua famiglia.

– Mi scusi, – mormorò allontanandosi. – Non volevo.

Una signora molto anziana era seduta su una valigia di cartone e piangeva. Tina le si avvicinò per consolarla ma non trovava le parole.

– Dov'era la sua casa? – domandò con delicatezza, nella stupida speranza di recuperare qualcosa.

La donna indicò un punto in lontananza. – Laggiú. Dove volano i corvi. Sono tanti perché mangiano i cadaveri.

Tina sentí le lacrime premerle sul fondo degli occhi e alzò la testa per fermarle. Non aveva il diritto di piangere.

E fu quello il momento in cui la vide.

Lassú nella forra, l'occhio grigio della diga fissava il deserto che aveva creato. Lei, la maledetta, ancora intera, ancora lí, beffarda e fredda al lutto dei sopravvissuti. Aveva vinto lei, e lo ricordava al Vajont, mostrandosi in tutto il suo terrificante splendore.

«Scrivo queste righe col cuore stretto dal rimorso per non aver fatto di piú per indurre il popolo di queste terre a ribellarsi alla minaccia mortale che ora è diventata una tragica realtà. Oggi, tuttavia, non si può soltanto piangere. È tempo di imparare qualcosa».

Tina Merlin

31. Il dopo

L'inverno era passato, ma la primavera non aveva scacciato l'aria tetra di Erto. Il paese era stato svuotato dalle autorità. Poteva esserci ancora pericolo, quindi via tutti.

Il comune di Cimolais aveva accolto molti ertani. Un attimo prima avevano una casa, un lavoro, degli affetti, e un attimo dopo erano rifugiati in casa d'altri.

Dopo qualche mese, alcuni si erano stancati e avevano deciso di tornare. Le strade per raggiungere Erto e Casso erano chiuse al traffico, il transito proibito. Ma per una stranezza della burocrazia, se era vietato raggiungere la valle del Vajont, non era invece proibito viverci. E allora erano tornati a vivere nelle loro case, nascondendosi dai carabinieri che pattugliavano le strade, e presidiando la cabina elettrica che forniva energia al paese per evitare che l'Enel staccasse la luce.

Era un'esistenza a metà, un limbo di chi non era piú nel passato ma non aveva un futuro, né poteva vivere nel presente.

Rosa ed Elvezio avevano riaperto l'osteria del Becco Giromino. Gli affari non andavano bene ma l'osteria era un servizio essenziale per una comunità, al pari del municipio o della scuola.

– Ecco qui il pane, – disse Elvezio, mettendo sul bancone una grande cesta da cui si spandeva un buonissimo profumo. – Le ossa per il brodo?

– Sono in pentola, – rispose Rosa dalla cucina. – Puoi badare tu al fuoco? Io voglio uscire un momento.

– Vai vai, ci penso io qui.

Rosa prese un cestino, vi ripose una bottiglia di vino, una pagnotta croccante, due mele e una manciata di patate. Coprí tutto con un tovagliolo a quadretti rossi e bianchi, poi uscí nei vicoli. La strada da fare era poca. Superò la casa con l'altalena ormai abbandonata, si arrampicò su per la ripida salita di ciottoli e poi bussò alla terza porta a sinistra.

– Avanti!

Come ogni giorno Agata era seduta alla sua panca da lavoro. La panca terminava nella morsa da falegname che lei stessa si era costruita. Vista da lontano sembrava un grosso cavallo a dondolo circondato da un mare di trucioli chiari. Agata spingeva il suo scalpello sulla superficie di una grossa scheggia, grattando via una nevicata di riccioli.

– Ti ho portato la spesa, – disse Rosa. – Ti serve altro?

– Un po' di compagnia. Hai da fare?

La ragazza scosse la testa. Le piaceva stare lí. Agata era forse l'unica persona del paese che aveva ricominciato subito a lavorare. Non aveva chiesto né aspettato un'elemosina dal governo, lo stesso governo che le aveva tolto tutto. Si era rimboccata le maniche e si era data da fare.

Rosa prese uno sgabello e si sedette accanto alla donna.

– Ci sono novità?

– È di nuovo venuto quello del comune, quello che mi vuole comprare la licenza.

– Ma cosa se ne fa di una licenza da venditore ambulante? Ha intenzione di cambiare mestiere?

– Ah, gli farebbe bene! – esclamò la nonna. – È pallido come la candeggina. Dovrebbe uscire un po' da quegli uffici polverosi e respirare l'aria di montagna. Ma non penso voglia cambiare mestiere. Mi sembra un furbo come quelli della diga. Ma intanto che importa, io non vendo di sicuro.

La scultura di Agata stava prendendo forma. I lineamenti erano ancora grezzi e spigolosi, ma si vedeva che stava realizzando un volto umano.

– E tu, hai qualche novità?

Rosa scosse la testa.

– Non sarebbe ora che ricominciassi ad andare a scuola? – domandò Agata mentre ruotava la sgorbia con un gesto ampio per scavare le narici.

– Papà ha cominciato a parlarmene...

– E...?

– A me piacerebbe, sí. Tanto in osteria non c'è molto da fare ormai. È che mi chiedo...

Agata interruppe il lavoro un istante, ma non disse nulla. Aspettò che Rosa andasse avanti da sola, perché la donna sapeva cosa passava per la mente della bambina. Era la stessa cosa che aveva pensato lei, e che l'aveva tormentata a lungo, in segreto, dopo il disastro.

– Mi chiedo, – proseguí infatti Rosa, – che senso ha.

Agata riprese il lavoro, questa volta con piú calma.

– Che lavoro ti piacerebbe fare da grande? – domandò.

– Mh? – fece Rosa sovrappensiero.

– Che *lavoro*, – ripeté Agata.

– Oh. Be', prima volevo fare la naturalista.

Agata sorrise. – E adesso?

Rosa soppesò la risposta. – A dire il vero, mi piacerebbe anche adesso, – ammise con rossore.

– Non devi avere paura di avere dei sogni, bambina mia. Lo so che non ti senti in diritto, perché tante persone sono morte. Ma è proprio in nome della tua vita preziosa che è rimasta, che devi continuare a sognare. Rendila bella, la tua vita. Piena di coraggio. Fai grandi cose, che tutti sappiano che la Rosa del Vajont è forte come l'abete rosso, come il larice che tutto accoglie e a tutto resiste!

Fece una pausa. – Naturalista hai detto, eh? Non sono mica quelli che vanno in spiaggia nudi?

Rosa scoppiò a ridere come non faceva da tanto tempo. Poi si asciugò le lacrime. – Oddio... no, Agata. Niente spiagge. Il naturalista studia i segreti della natura, degli animali e delle piante...

– Ah, meno male, stavo già cominciando a preoccuparmi. Ci sarà un bel po' da studiare allora.

– Eh, sí.

– Brava ragazza. Studiare la natura mi sembra una eccellente occupazione. In questa epoca fatta di industrie, petrolio e quattrini abbiamo perso di vista l'essenziale, e cioè che siamo ospiti di questo mondo, non i suoi padroni.

Agata lavorò con delicati colpetti intorno alle labbra di legno. La scultura prendeva forma.

– E poi non ha molto senso rimanere qui, – continuò. – Il paese è un mausoleo. Va bene per noi che abbiamo la vita alle spalle, non per voi che l'avete davanti.

– Ma io non voglio abbandonare Erto!

– Eeeh, e allora un giorno tornerai. Quando sarete adulti, tu

212

e gli altri ragazzi dovrete decidere se tornare al vecchio paese e farlo vivere di nuovo, oppure farvi una vita altrove, lontano da tutto questo dolore.

Agata si era lasciata gli occhi per ultimi. Erano rimasti due blocchi grezzi come grossi chiodi dalla testa squadrata. Lavorava di tondo, su forme circolari, con movimenti delicati e leggeri, ma ampi come il volo del gheppio.

– Prima che tu vada via, c'è una cosa che ti voglio lasciare. Questa è la mia ultima scultura. Dopo metterò via le sgorbie per sempre. Quando lascerai Erto porterai con te tante cose e molte saranno dentro di te. Ecco, vorrei che prendessi anche questa, che fosse il tramite tra ciò che hai dentro e il mondo che è fuori.

La donna spolverò la scultura con le mani, accarezzando i capelli di legno, le guance tonde da rana, togliendo i trucioli piú piccoli dai cerchi degli occhiali.

– Vorrei che, tramite te, Agostino vivesse ancora.

Quando uscí di casa, Rosa non tornò all'osteria. Si lasciò Erto alle spalle per visitare un luogo che non aveva piú avuto il coraggio di vedere.

Era cambiato tutto, lassú. Dove prima c'erano grandi prati verdissimi e pinete ombrose, ora stava la roccia nuda. Verso Casso, le cui case abbandonate spuntavano miseramente come spaventapasseri al vento, si vedeva fin dove era arrivata l'ondata.

Con qualche difficoltà, Rosa trovò il punto. Lo sperone di roccia aveva resistito alla furia delle acque ed era rimasto identico. Il Toc non c'era piú e al suo posto si vedeva una superficie inclinata, regolare come una tavola di legno e arida come il deserto. Il monte, o quello che ne rimaneva, era giú, piú in basso. Aveva riempito la valle tagliandola in due, proprio come avevano previsto i tecnici. Ma il Toc era alto, e si era rovesciato anche addosso alla diga riempiendo tutto l'invaso. La bambina non ricordava nulla di ciò che era accaduto dopo l'ondata. I primi ricordi coerenti erano di piú di un mese dopo, un mese passato a letto scossa da una febbre altissima che nessun medico riusciva a curare. Un mese durante il quale la valle del Vajont e quella del Piave erano state frugate palmo a palmo alla ricerca dei corpi delle vittime.

Ma chi poteva andare a frugare sotto ciò che restava del Toc? Quante persone erano ancora lí sotto e ci sarebbero rimaste per sempre?

Rosa non aveva pianto ai funerali, non aveva pianto ascoltando i racconti degli altri montanari. Le lacrime non scendevano. E poi, a che scopo piangere? A cosa sarebbe servito?

D'un tratto vide qualcosa. Era giú in fondo, tra le rocce del torrente, dove la vegetazione non aveva ancora fatto in tempo a ricrescere.

Rosa si agganciò il cestino nell'incavo del gomito e scese la ripida parete rocciosa aiutandosi con le mani. Era proprio lei, non si era sbagliata. La scatola di Agostino era sbiadita dal sole e mangiata dal ghiaccio, era tutta un bollo per gli urti contro i sassi su cui era stata trascinata... ma c'era, ed era intera.

Ago l'aveva preparata per lei, per chiederle scusa di certe parole brutte che Rosa neanche ricordava piú.

Posò il cestino a terra e la raccolse con le mani tremanti. Si era dimenticata di quella scatola, non aveva mai saputo cosa contenesse. Era pesante. Lo spago rosso non c'era piú, per cui si aprí facilmente.

Acqua.

A Rosa scappò un sibilo che forse era una risata o forse uno sfogo amaro, ma cominciò a perlustrare la zona spostando le pietre, strappando le erbacce. Qualsiasi cosa ci fosse stato lí dentro poteva ancora trovarsi in quell'area. E anche il corpo di Agostino, perché no? Se lo avesse trovato forse non avrebbe piú fatto quei sogni in cui lui era vivo e le sorrideva, quei sogni cosí veri che la illudevano e la straziavano.

Ma non c'era niente. Solo una valle che tentava di ricominciare a vivere con il poco che era rimasto.

Rosa svuotò la scatola. Che l'acqua tornasse pure al torrente a cui apparteneva. Poi adagiò il tovagliolo a scacchi sul fondo, e sopra di esso posò dolcemente la scultura di legno. Somigliava poco ad Agostino, ma Rosa sapeva che era proprio lui. Allora strinse la scatola al petto e per la prima volta dopo tanti mesi si diede il permesso di piangere, sentí il caldo delle lacrime che bruciava le guance, leccò il sale agli angoli delle labbra.

Rimase cosí fino a sera, ad ascoltare il vento e il grido delle nottole, il canto silenzioso dei boschi che cullavano il Vajont.

La storia del Vajont finisce male e va avanti peggio.
Il disastro che ha annichilito Longarone e si è portato via quasi
duemila vite è infatti solo la fine del primo tempo. Gli abitanti
di Erto, Casso e Longarone hanno continuato a soffrire a causa di
politiche disgraziate, mala gestione, oppure vere e proprie truffe.

La storia processuale del disastro del Vajont, che Tina Merlin
ha definito «olocausto» perché ha cancellato un'intera comunità, è lunga e terribile.
Il processo penale per disastro colposo si conclude nel 1971,
otto anni dopo. Secondo il tribunale la frana non era prevedi-
bile, per cui si è trattato di una tragica fatalità. Condanna però
Biadene e Francesco Sensidoni (dipendente del ministero che
doveva vigilare sulle operazioni) per non avere lanciato l'allarme in tempo. Il primo viene condannato a cinque anni di
carcere, il secondo a tre anni e otto mesi. Tre anni vengono
condonati, quindi praticamente nessuno viene punito davvero.
L'ultima sentenza è del 1999, trentasei anni dopo il disastro,
e riguarda il risarcimento danni al Comune di Longarone.

Ma sono innumerevoli le angherie e le ingiustizie che le vittime
del Vajont, anzi della SADE, devono patire dopo il disastro. Basti dire che soltanto oggi, dopo piú di cinquant'anni, la valle
comincia lentamente a rinascere e a trovare un po' di serenità.

Anche se sembra incredibile, i fatti raccontati in questo romanzo sono quasi tutti autentici. I «signori della diga» sono tutti realmente esistiti. Ho preferito inventare la maggior parte degli ertocassiani per rispettare l'intimità del loro dolore: Elvezio, Agata, Rosa e Agostino, per esempio, sono frutto di fantasia. Ma le vicende della valle, centralinista compresa, sono vere.

La diga del Vajont è ancora su. L'occhio spento e grigio che spia il paese dall'alto, simbolo del potere cieco che sfida la montagna, esiste ancora (anche se in disuso).

Tina Merlin, l'unica voce che ebbe il coraggio di gridare al mondo la verità del Vajont, è una donna che mi ha conquistato subito. Uno di quei bravi maestri che mostrano la strada con l'esempio e non con le nozioni. La sua è una concezione pura del giornalismo, in cui la verità è al servizio dei lettori e non si piega ai voleri dei potenti.

Tina scrive con una prosa diretta e chiara, e leggendo i suoi articoli ci si sente partecipi di tutto. E pensare che non era neanche riuscita a prendere la licenza elementare: imparò a scrivere da professionista grazie all'aiuto e al sostegno di suo marito Aldo. Per tutta la vita Tina denunciò con forza gli accordi tra Stato, industria e università, i blocchi di potere sopravvissuti indenni alla caduta del fascismo, alla guerra e alla ricostruzione. Nel mio romanzo il conte Volpi incarna questo fenomeno, ma lui non è stato il solo. In Italia abbiamo innumerevoli esempi di aziende che hanno fatto ciò che volevano in barba alle leggi e ai regolamenti. Anche oggi non è difficile trovare notizie di tragedie causate dall'avidità e dalla corruzione.

Ed ecco la ragione per cui ho scritto questo libro. Perché ciò che è accaduto al Vajont può accadere e accade ancora. Perché tutti noi dobbiamo vigilare su chi detiene il potere affinché persegua il vero interesse pubblico, quello del popolo.

La lotta di Tina Merlin è la lotta di tutti noi. «Rimboccatevi le maniche» ci grida Tina con la sua bella voce chiara. «Parlate, indagate. E non abbiate paura di fare la cosa giusta, mai».

Alcune delle mie fonti più importanti:

Sulla pelle viva, Tina Merlin, Cierre Edizioni. Un saggio sulla storia del Vajont con tutta l'esperienza di Tina, le sue opinioni, le sue battaglie.

La rabbia e la speranza, Tina Merlin, Cierre Edizioni. La raccolta degli articoli di Tina, in cui prorompe la sua voce coraggiosa e appassionata.

La casa sulla Marteniga, Tina Merlin, Cierre Edizioni. Il romanzo autobiografico di Tina. Questo libro mi ha rapito e mi ha fatto capire tante cose dell'Italia di oggi. Fu pubblicato dopo la morte di Tina su interessamento di un altro grande scrittore e uomo di montagna: Mario Rigoni Stern.

Quella del Vajont, Adriana Lotto, Cierre Edizioni. Un saggio tutto dedicato allo studio di Tina Merlin, il lavoro più obiettivo e completo sull'argomento e mia guida di riferimento.

Da Molare al Vajont. Storie di dighe, Giorgio Temporelli, Erga Edizioni. Uno studio rigoroso e scientifico ricco di aneddoti e notizie poco note sui più importanti disastri causati dalle dighe. Sarebbe senz'altro il libro preferito di Fausto, il pirata traghettatore sul Bormida.

Ringrazio di vero cuore il grande poeta Bruno Tognolini. Quando gli parlai di questo progetto mi recitò la *Rima della rabbia giusta* e mi fece trovare esattamente le parole che stavo cercando. Questa poesia (insieme a molte altre) è raccolta nel bellissimo libro *Rime di Rabbia*, edito da Salani.

Ringrazio Luigi Dal Cin, amico generoso. La sua grande sensibilità si manifesta nel suo sorriso gentile. Luigi ha lavorato con i bambini di Longarone per realizzare la *Fiaba del Vajont* (edito da Fatatrac) e la sua esperienza mi ha aiutato a comprendere l'impatto di questa tragedia sui sopravvissuti.

Ringrazio Marco Paolini, che con la sua celebre e bellissima *Orazione civile* ha rotto il silenzio che gravava sul disastro del Vajont. La scena del sidecar è ispirata al suo spettacolo.

Ringrazio Luca Bitonte per avermi regalato il titolo perfetto.

Ma soprattutto ringrazio Sarah Rossi, stella polare della mia esistenza, che generosamente dona la scintilla vitale a tutti i miei libri.

Indice

Finito di stampare nel mese di ottobre 2021
per conto delle Edizioni EL
presso ⬚ *Grafica Veneta S.p.A., Trebaseleghe (Pd)*